à Francis Pisani,

ce roman sur la Chute,
sur les Murs, sur les
interstices de liberté, et le
reste, le reste surtout...

LA DERNIÈRE CONFÉRENCE

en souvenir de moments forts
à Tokyo et ailleurs, en
prévision de beaucoup de
nouvelles rencontres

avec pleine amitié

20 novembre 2008

DU MÊME AUTEUR

chez le même éditeur

Mémoires d'un vieux parapluie, 1990

L'Anniversaire, 1993

Un siècle sans histoire, 1995

La Cinquième Porte, 2004

MARC BRESSANT

LA DERNIÈRE CONFÉRENCE

roman

Éditions de Fallois
PARIS

22, rue La Boétie, 75008 Paris

ISBN 978-2-87706-666-2

SEPTEMBRE

Londres, samedi 30 septembre 1989

Par petits paquets, les délégués de la Conférence ont commencé à débarquer au *Carlton*. Costumes trois pièces piquetés à la boutonnière et tailleurs Chanel bien décidés à conquérir le monde croisent sans les voir apparatchiks patibulaires et militantes nattées de frais. Aucune tête connue. J'aurai tout mon temps, hélas, pour identifier jusqu'aux plus minuscules verrues sur chacune des nuques présentes.

Car la comédie va durer deux mois ! Deux bons mois même, claquemuré ici, à affronter le Diable ! Un Diable un peu plus présentable, certes, depuis qu'il s'affuble en Gorbatchev. Et l'Enfer ne sera pas tout à fait infernal, puisque Londres, dit-on, est une ville où certains s'arrangent pour survivre. C'est en substance ce qu'on m'a dit à Paris en m'annonçant ma désignation à la tête de la délégation française : j'ai de la veine finalement, la Conférence aurait pu se tenir à Kiev, en pleine époque Brejnev et par -30° à l'ombre.

Bien sûr, personne n'attache la moindre importance à un

détail minuscule : depuis mon entrée au Département[1], j'ai toujours refusé de m'intéresser à ces histoires européennes. Ce n'est pas pour rien que j'ai choisi l'Asie comme terrain de pacage. Pour ne pas me sentir trop directement concerné, donc consterné, par la situation alentour.

L'Europe, ma planète natale, est coupée en deux. Une situation abominable. D'une indicible injustice, et tout ce qu'on voudra, pour les peuples pris dans la nasse. Reste, équilibre de la terreur oblige, que les barbelés qui nous séparent sont plantés pour un bon moment encore. « *Le Mur de Berlin sera encore là dans cinquante ou cent ans* », a prévenu l'ineffable patron de l'Allemagne de l'Est voilà seulement quelques mois. *Perestroïka* ou pas, Yalta est une donnée aussi imparable que la rotondité de la Terre ! À d'autres, donc, de suivre les interminables conférences Est-Ouest et les microscopiques avancées auxquelles il leur arrive d'aboutir certaines années fastes ! Le désespoir est assez chevillé au fond de nos âmes pour qu'on n'en rajoute pas.

[1] Le ministère des Affaires étrangères, dans le jargon de ses agents. (*Note de l'Éditeur*)

OCTOBRE

Dimanche 1er octobre 1989

CONFÉRENCE EUROPÉENNE SUR L'INFORMATION ! Les pancartes sont maintenant accrochées partout dans l'hôtel. Dûment badgés, les permanents courent en tous sens. Étals dressés au pied des ascenseurs, tout sourire ils distribuent leurs prospectus.

Piégé ici pour deux mois ! Rarement ressenti une telle fureur. Je n'ai toujours pas encaissé que le secrétaire général du Département m'assure, la gueule enfarinée, que mon ignorance des problèmes européens et mon incompétence dans le domaine des médias ne seraient en rien un handicap ! Ni que le Directeur du personnel, en principe un ami, m'explique en riant qu'un de mes prédécesseurs à l'une de ces conférences, trop au fait des sujets traités, s'était laissé aller à d'irresponsables concessions...

La désinvolture avec laquelle cette affaire a été montée montre l'importance qu'on accorde en haut lieu à ces rencontres de pure forme avec le camp soviétique ! Elle témoigne incidemment de la considération qu'on me porte...

Le Ministre s'est quand même cru obligé de me recevoir pour me confirmer la décision. Il était dommage, a-t-il reconnu, que je sois obligé d'abandonner la responsabilité de la Direction d'Asie. Sans vergogne, il a salué mes mérites à ce poste, vanté ma brillante carrière à l'autre bout du monde, célébré mon admirable maîtrise du japonais et du chinois, « *un doublé rare, me suis-je laissé dire* »... Par un heureux concours de circonstances, son collaborateur le jeune Ambérieux, dont il avait eu l'occasion d'apprécier les talents, acceptait de me remplacer. Il apprendrait vite à connaître un continent auquel les hasards de sa carrière l'avaient peu amené à s'intéresser jusqu'ici.

— Si tout se passe bien à Londres, a ajouté le Ministre, il n'est nullement exclu que l'on vous propose l'ambassade à Tokyo quand elle se libérera au printemps prochain. Je sais que vous le souhaitez ardemment. La vérité, pourtant, m'oblige à vous dire qu'il y a d'autres candidats, moins bien préparés sans doute, mais stratégiquement mieux placés. Rassurez-vous, mon cher ambassadeur : tout reste ouvert, et vous savez fort bien que le pire n'est pas toujours sûr.

Le Japon. Mes rêves d'enfant dans le grenier familial où trônaient des armures de samouraï et tout un bric-à-brac d'estampes et de kimonos rapportés des générations plus tôt par le seul ancêtre baladeur d'une lignée le cul vissé à son terroir. Missionnaire, pilote ou diplomate : les trois seuls métiers qui, à l'époque de mon adolescence, ouvraient les portes du Soleil Levant. Pour qui ne croyait ni en Dieu, ni au plus lourd que l'air, le choix était vite fait.

Ce choix, pas une fois je n'ai eu à m'en repentir. À chacun de mes séjours, le bonheur a été au rendez-vous. Ce pays est bien celui de mes rêves. L'air qu'on respire en grimpant dans les sous-bois, les jeux de l'ombre dans la profondeur des maisons, le crissement des insectes au petit matin... Et ceux qui là-bas ont été mêlés de près à ma vie en ont repoussé les limites plus que quiconque ailleurs. Même si quelques trop belles endormies se sont évaporées dans la nuit, me laissant un goût âcre dans la bouche.

Apparemment, le Département, partie prenante après tout dans cette histoire, y a aussi trouvé son compte. En témoignent les éloges appuyés de mes patrons successifs sur ma façon de servir et resservir sous ces latitudes. Et voilà qu'au moment où approche mon ultime affectation dans ce pays, on s'apprête à me barrer la route. Alors que c'est pour moi la dernière échéance avant que l'âge me coupe les jarrets !

Qu'on puisse envisager de nommer à Tokyo ce besogneux de Grandin, dont le seul mérite est d'être le conseiller diplomatique du Président de la République ! Mais je me battrai ! Ils m'ont déporté à Londres pour monter leurs magouilles, je ne les laisserai pas faire. Depuis l'âge de douze ans, je m'y prépare, à ce poste !

Une certitude au moins : ma prestation à cette maudite Conférence sera sans aucune incidence sur l'issue de l'affaire. À moins que je ne me laisse aller à foutre une paire de baffes à la Dame Thatcher [1] si, comme la presse le laisse entendre, elle vient elle-même ouvrir notre Conférence.

[1] Margaret Thatcher, Premier ministre britannique de 1979 à 1990, alias *Maggie*, dite aussi la *Dame de fer*, ou tout simplement *la Dame*, des appellations qu'on trouvera sous la plume de l'auteur tout au long de son *Journal*. (*Note de l'Éditeur*)

Lundi 2 octobre 1989

Longue promenade matinale le long de la Tamise, enveloppée dans la brume de rigueur. Au retour, la ronde des délégués avait pris d'accablantes proportions. Dans le hall, des âmes en peine erraient dans l'attente d'une problématique rencontre. Sur le seuil, de petits groupes gesticulaient pour se donner du courage. La rentrée scolaire dans un collège de sous-préfecture ! Heureusement, au bar, les scotchs donnaient du cœur au ventre à qui voulait.

Soudain en début d'après-midi, inespérée, la rencontre de Carlos. Il a fallu que le président désigné de la délégation espagnole chope je ne sais quelle hépatite pour qu'en catastrophe on le ressorte de la naphtaline où, sans trop y croire, il attend un ultime poste. Lui aussi aurait été bien en peine d'imaginer que quelqu'un ait pu avoir l'idée saugrenue de m'expédier à cette Conférence. Apercevoir tout à coup au pied des ascenseurs sa silhouette vif-argent, puis échanger avec lui l'*abrazo* familier m'a fait un bien immense. J'avais un complice dans la place !

Dîner à Soho dans le premier restaurant venu. Trois ans que nous ne nous étions pas vus. Toujours soucieux de me brûler la politesse, Carlos a réussi à perdre son ultime cheveu avant moi. Son français n'a pas bougé depuis le temps où nous faisions Langues O ensemble à Paris, et en fin de compte mon castillan s'est révélé moins rouillé que je ne craignais.

Nous avons procédé à l'échange rituel d'informations télégraphiques sur nos vies respectives. Son épouse plus

« *épatante* » que jamais, leurs cinq enfants tous désormais sur les orbites auxquelles leur brillant patrimoine génétique leur ouvre le droit... Comme d'habitude, il a redit que mon obstination à refuser tout lien familial dépassait son entendement. « *Encore si tu avais un problème avec les femmes...* » Et il a déploré ce qu'il doit être le dernier à appeler ma « *vie de bâton de chaise* ». Dès qu'il a senti mon agacement pointer, il s'est arrêté net, et l'éclat de rire dont il est parti m'a fait lui pardonner sur-le-champ son intrusion.

La conversation en est vite arrivée à cette Conférence où nous avions échoué bien malgré nous. Comme de juste, nous partagions la même analyse sur les résultats qu'on pouvait en escompter. À supposer même que Gorbatchev soit sincèrement désireux de changer quelque chose en Europe, il ne disposait pas des gens capables de faire passer ses intentions dans une conférence de ce genre. Il suffisait de voir la composition de la délégation soviétique, tous des apparatchiks à l'ancienne qui répéteraient les rengaines de toujours.

De toute manière, ainsi que le faisaient ressortir les télégrammes de nos postes respectifs, les *pays frères* ne se laisseraient pas faire. Le mois dernier, ils avaient été gravement traumatisés par la constitution d'un gouvernement multipartite à Varsovie. Bien sûr, la Pologne avec ses syndicats clandestins, ses curés et son pape constituait un cas à part. Mais les autres aussi avaient leurs dissidents, peu nombreux peut-être, mais teigneux. Ils ne toléreraient pas que les décisions arrêtées par notre Conférence offrent aux « *ennemis du socialisme* » le moindre espace nouveau pour se manifester.

Bref, c'était à l'un de ces purs exercices de rhétorique Est-Ouest que nous allions perdre deux mois de notre vie. Ou de ce qu'il nous en reste, s'est cru obliger de préciser Carlos.

Nous sommes rentrés mélancoliquement à l'hôtel. Dans le hall, avant de nous séparer, nous avons décidé de faire ce que nous pourrions pour mettre un peu d'animation dans les tristes travaux qui nous attendent. Ainsi que nous l'avions si bien pratiqué à Langues O quand l'idiotie d'un cours dépassait l'entendement.

Mardi 3 octobre 1989

À dix minutes à pied de notre hôtel, le *Centre de conférences Élisabeth II* a superbe allure. Inauguré le mois dernier par Margaret Thatcher en personne, rien encore n'y fonctionne : climatisation erratique, central téléphonique bégayant et le reste. Tous les dix mètres, en revanche, on peut vérifier que *Conference on Security and Cooperation in Europe* veut bien dire en français *Conférence sur la Sécurité et la Coopération en Europe*, et réciproquement, d'où ce sigle commun de CSCE qui, à lui seul, fait déjà figure de miracle [1].

Je n'ai pas résisté à l'envie de pousser l'une des portes de l'hémicycle où se tiendront nos plénières. Une déformation professionnelle excusable. Tous les praticiens le savent : la disposition des salles exerce une influence significative sur le déroulement des réunions qui s'y tiennent. Celle où nous allons siéger est profilée en forme de bateau, comme pour notifier à ses occupants que leurs discussions doivent les conduire quelque part. N'importe où s'il le faut, ce n'est pas le problème : quelque part ! Un paquebot

[1] Créée par les accords d'Helsinki en 1974 en vue de promouvoir dans tous les domaines le dialogue et la coopération entre l'Est et l'Ouest, l'organisation regroupait l'ensemble des pays européens ainsi que les États-Unis et le Canada. (*Note de l'Éditeur*)

étonnamment blanc, avec, hérissées le long des parois, des sortes de manches à air qui se dressent comme pour compléter l'illusion. Sur les tables, très loin dans la pénombre, la petite pancarte *FRANCE* m'a fait le signe de bienvenue qu'elle me devait.

Impossible de pénétrer dans ce genre d'endroit sans me rappeler la première fois où j'ai franchi les portes du grand hémicycle des Nations Unies à New York. Je suivais à distance respectueuse Rancourt, mon premier patron. Soudain il s'arrêta net. Il se retourna, me regarda bien en face avant de laisser tomber :

— Au moment où vous entrez dans le Saint des Saints, Tromelin, notez ça pour le reste de votre carrière : toujours dormir d'un œil, mais de l'autre inlassablement faire l'inventaire des faiblesses des collègues. Les bâillements, les tics, les sourires convulsifs. Le jour même, ou bien vingt ans plus tard, c'est cette connaissance intime que vous aurez de vos adversaires qui fera la différence et vous permettra de conclure, vous, la discussion.

Il me dévisagea d'un air sévère :

— Car le but du jeu, c'est ça : être le dernier à river son clou aux autres ! Mais vous l'avez déjà compris, arriviste comme je vous devine.

Il n'y avait que quelques semaines que je connaissais Rancourt, de l'avis général le plus brillant des diplomates de sa génération. À nous qui venions d'intégrer le Département, son poste de directeur des organisations internationales paraissait prestigieux.

Je ne sais toujours pas aujourd'hui si, en débitant cette tirade, il s'était simplement payé la tête du jeune blanc-bec de vingt-cinq ans que j'étais. Je me souviens qu'il avait conclu son propos en émettant l'un de ces petits rires aigus qu'il maniait tel un dompteur qui fait claquer son fouet. Un truc qui lui a permis de prendre l'avantage dans un nombre incalculable de situations, et dont il use encore aujourd'hui, octogénaire ou presque, pour déstabiliser la poignée d'interlocuteurs qui lui restent. Toujours depuis lors j'ai mis en application les principes simples qu'il m'a inculqués durant la courte période où, comme on dit dans notre tribu, j'ai servi sous ses ordres. Et pas une seule fois je n'ai eu à m'en repentir.

Trois minutes d'entretien dans le hall d'entrée avec Schuster, le Secrétaire général de l'organisation. C'est à ses talents de manœuvrier qu'on doit d'avoir encore aujourd'hui une CSCE qui ne soit pas en état de mort clinique. Petit, la mèche batailleuse, plus *Mitteleuropa* que nature, il courait en tous sens pour veiller aux derniers détails avant l'ouverture. Pas besoin de l'observer longtemps pour comprendre que le sourire qu'il avait vissé aux lèvres était réglé au millimètre pour s'écarquiller en proportion de l'importance de chaque pays, et de chacun à l'intérieur de sa délégation. J'ai eu droit de sa part au grand jeu, le rôle essentiel de la France dans le dialogue paneuropéen, les qualités exceptionnelles du Président Mitterrand et autres gâteries. Et en prime, à un pronostic :

— L'information est un sujet hautement sensible, bien sûr. Mais vous allez voir : malgré toutes les difficultés, nous terminerons la Conférence en ayant engrangé quelques résultats concrets. Ils vous paraîtront minces. À terme, pourtant, les avancées enregistrées se révéleront le point de départ de nouveaux petits pas en avant. Et ainsi de suite. Le principe de la boule de neige ! L'organisation fonctionne sur ce principe depuis ses débuts à Helsinki il y a quinze ans !

Comme de juste, les imbéciles de mon genre installés à l'heure dans l'hémicycle ont dû attendre que le dernier des Maltais ait bien voulu gagner sa place. Pour sa part,

Margaret Thatcher, qui tenait absolument à ouvrir nos travaux, a été retardée par je ne sais quelle urgence. Bref, tout pour mettre de joyeuse humeur dès le début de la Conférence !

Pour ajouter à mon exaspération, Leroux, qui passe pour le spécialiste incontesté de la CSCE au Département, n'a cessé de traverser la salle à grandes enjambées, l'air affairé. Petite bestiole déjà déplumée alors que son visage affiche une trentaine poupine, il fait montre en toutes circonstances d'un sérieux qui m'a instantanément porté sur les nerfs. Componction, le mot a dû être forgé pour lui. De temps à autre, il me glissait à l'oreille une information dont je n'avais rien à faire. J'ai fini par le rembarrer de façon déplaisante, et il s'est éloigné en chien battu.

— Ce Leroux est un garçon vraiment dévoué, m'a dit Claudine soucieuse de calmer le jeu. Maladroit, énervant même. Mais il a tellement besoin de se rendre utile. Et il l'est, vous verrez, il connaît par cœur les arcanes du fonctionnement de ces conférences, qu'il suit depuis Helsinki.

Claudine est ma seule satisfaction de la journée. Je n'avais fait que la croiser dans les couloirs du Quai[1]. L'essentiel de sa carrière s'est déroulé en Europe de l'Est, où je n'ai pratiquement jamais mis les pieds. D'entrée de jeu, je me suis senti en phase avec elle. L'avoir comme adjointe est un cadeau des Dieux. Elle parle russe comme père et mère, n'y ayant pas trop de mérite puisqu'elle est née dans une famille d'émigrés *blancs*. Tombée dès son entrée au Quai dans le chaudron de la kremlinologie, elle connaît les tenants et aboutissants de chacun des délégués

[1] Abréviation de *Quai d'Orsay*, la voie parisienne où est installé le ministère des Affaires étrangères. Par métonymie, le ministère lui-même. Cette appellation est rarement utilisée par les agents de la maison, qui préfèrent parler du *Département*. (*Note de l'Éditeur*)

des pays socialistes : non seulement qui est qui et qui fait quoi, mais aussi, comme elle dit de sa petite voix sage, « *qui hait qui et qui se fait qui* ».

Pendant notre interminable attente, elle a attiré mon attention dans la délégation soviétique sur un jeune homme blond au visage émacié, à demi caché par son chef, le massif Grigori Akhmanov. Ce Victor Malevitch n'était pas sur la liste initiale de la délégation. Selon ses informations, l'entourage de Gorbatchev l'avait imposé en dernière minute. Pour faire bouger les positions soviétiques ! Car Grigori, lui, n'était pas précisément un homme de la *perestroïka* !

— C'est même, a-t-elle martelé, l'un des pires représentants du système : une crapule brejnévienne, qui a trempé dans toutes les initiatives les plus tordues de son pays depuis trente ans. Sa dernière prestation notable a été l'Afghanistan. Il y était ambassadeur au moment de l'invasion soviétique, et il n'a pas peu contribué à engager son pays dans cette sanglante aventure.

Claudine a jugé aussi utile de me faire, de loin, une brève présentation des Roumains serrés derrière leur panonceau. Ce sont eux les empêcheurs de tourner en rond à la CSCE. Adversaires forcenés de la *perestroïka* de Gorbatchev, ils font chaque fois l'impossible pour bloquer les maigres points d'accord auxquels parviennent les deux camps. Une tâche, du reste, fort simple puisque toutes les décisions doivent être prises par consensus ! Le chef de la délégation, le plus imposant des tas de chair qui trônaient en face de nous, était l'équivalent de ce qu'à l'ONU avait été Molotov, le fameux *Tovaritch Niet*. Sauf que Milescu exprime ses refus en français, d'où pour le petit monde de la CSCE son surnom de *Monsieur Non*.

Dans la salle, guère plus de visages familiers qu'à l'hôtel. Hors un Tchèque, croisé et recroisé à Tokyo voici vingt ans, j'ai reconnu Pat Callaghan. De plus en plus rouge et roux, il porte toujours la même cravate vert trèfle qui célèbre sa pluvieuse Irlande. Nous étions ensemble à Pékin pendant la Révolution culturelle, et nous y avons même pratiqué de conserve la maigre noce qui y était possible. Ce que nous appelions, en jeunes coqs suffisants, « *faire les quatre cents fleurs* ».

Nous voici donc séquestrés ici tous ensemble jusqu'à la mi-décembre, fin prêts à nous étriper pour quelques poignées de virgules.

Situé entre Downing Street et le Parlement, le Centre de conférences a été voulu par Madame le Premier ministre pour servir de caisse de résonance à son ego. Embusquée à deux pas de là, elle tisse ses toiles avec l'inlassable énergie qu'on lui connaît. La grande politique l'intéresse infiniment plus qu'elle ne le dit, et elle a tenu à donner en personne le coup d'envoi officiel à nos travaux. Pas pour nos beaux yeux évidemment. Ainsi que me l'a confié Ted Garrisson, le numéro 2 de la délégation britannique qui, j'imagine, va assurer la présidence de fait de notre Conférence, elle flaire, dans le contexte de la *perestroïka*, de possibles avancées au cours de notre rencontre, et elle entend bien les capitaliser à son profit. Visiblement, Ted ne l'aime pas, mais, comme tant d'autres, il n'en est pas moins bluffé par son monstrueux abattage.

Enfin, elle s'est décidée à faire son entrée, précédée par Sir Alec, son âme damnée. Pour faire de la peine au Foreign Office, c'est à lui qu'elle a confié la présidence de la délégation britannique. Nous avons eu droit de la part de celle que tout le monde appelle Maggie aux phrases convenues que nous attendions, prononcées de la voix dédaigneuse que nous méritions.

Après cette prestation, la Dame Thatcher a offert un verre aux chefs de délégation. L'occasion pour elle d'avoir un long aparté avec le Soviétique. À cause de Gorbatchev, bien sûr, le seul chef d'État du moment qui l'impressionne. Elle en a sûrement fait un éloge appuyé à son interlocuteur sans savoir que celui-ci le haïssait par tous les pores de sa peau. Par souci de symétrie, elle a taillé ensuite une bavette d'une durée sensiblement identique avec l'Américain. Elle a dû vite comprendre que le pauvre Harry Marx, « *un homme d'affaires ami du Vice-président* » comme le présentent les membres de sa délégation, n'avait d'autre sujet à aborder que la situation de l'industrie pharmaceutique américaine, le secteur où il a fait fortune.

Ce fut à mon tour, puis à celui du représentant de Bonn d'avoir un tête-à-tête, trois minutes seulement compte tenu des données géopolitiques du moment. « *Give my best regards to my friend Michel*[1], a-t-elle conclu en ce qui me concerne. *Such a bright fellow !* » J'informerai l'intéressé dans les meilleurs délais d'un jugement qui, tombé d'une bouche aussi peu portée à l'emphase, prend figure d'événement politique...

Nos autres collègues n'ont eu droit qu'à quelques miettes. À l'exception de Zürcher, un Helvète long comme un alpenstock, qu'elle a entraîné dans un coin. Leur conversation a été très animée, et elle a même semblé trouver tant de charme à son interlocuteur qu'*in fine*, sous nos regards envieux, elle l'a gratifié de l'un de ces sourires métalliques qu'elle réserve à une poignée d'intimes.

[1] Michel Rocard, Premier ministre français de 1988 à 1991, sous la seconde présidence Mitterrand. (*Note de l'Éditeur*)

Mercredi 4 octobre 1989

Quand j'ai gagné ma place ce matin cinq minutes avant l'ouverture, les deux Allemagnes étaient quasiment les seules à être installées au grand complet. Compétition oblige. Trônait aussi la délégation roumaine, ses molosses prêts à mordre disposés sur les six sièges affectés à chacun des pays participants. Le Soviétique également était présent, sans être cette fois flanqué du représentant personnel de Gorbatchev, et c'est sans doute pour ça qu'il tirait une gueule moins sinistre qu'hier.

Arrivé en retard, Sir Alec, le caniche de la Dame Thatcher, a présidé aussi mal qu'on pouvait le prévoir. Cassant, très peu professionnel. Longtemps à la tête d'un groupe de presse qui tirait à boulets rouges sur les travaillistes au pouvoir, c'est un ami intime de Margaret Thatcher. C'est elle qui l'a fait entrer à la Chambre des Lords. Elle aussi qui l'a imposé à la tête de la délégation britannique à notre Conférence malgré les violentes objections que sa nomination a suscitées aux Communes et dans les milieux de la presse.

Concentré d'arrogance et de fermeture sous quelques restes de bonnes manières, il sait tout, tranche de tout. Il n'y a que devant la Dame de fer qu'il devient un petit garçon boutonneux. Le Foreign Office le hait. Positivement. Et en premier lieu, bien sûr, Ted Garrisson, naguère ambassadeur à Varsovie, ainsi relégué au poste d'adjoint. Ancien pilier de l'équipe d'aviron d'Oxford, conservateur en diable, il est pris à revers par ce parvenu réactionnaire.

Éternel recommencement. J'ai connu Vacek, le Tchécoslovaque, à Tokyo. Des centaines de fois, nous nous sommes serré la main dans les fêtes nationales ou les cérémonies officielles. Jamais pourtant nous n'avons eu une seule conversation digne de ce nom. Tout s'est passé à l'identique à Londres. Une poignée de main chaleureuse, puis rien. Comme moi, il a grossi, perdu ses cheveux, mis des lunettes. Ça n'a pas suffi pour nous rapprocher. Dommage : j'aimerais savoir, avant de mourir, comment c'est câblé sous le crâne d'un apparatchik communiste.

J'ai invité à dîner la délégation française. La malicieuse Claudine et Leroux, le poupin déplumé, mais aussi les trois professionnels des médias associés à notre exercice. Une novation significative dans le fonctionnement de la CSCE, m'a-t-on expliqué. Voulant afficher leur souci d'être concrets, à défaut d'être efficaces, les pays membres se sont mis d'accord pour intégrer des « *représentants de la société civile* » au sein des délégations étatiques. Au dîner de ce soir manquait le quatrième de la joyeuse bande qu'on nous a adjointe, un nommé Pierrelatte, qui serait l'éminence grise de la presse quotidienne parisienne. Il est connu pour s'inscrire partout sans jamais prendre la peine d'être présent. J'ai prié chacun de raconter ses problèmes. Seul un certain Kugelman a dit des choses intéressantes. Grand gaillard osseux, il travaille aux *Dernières Nouvelles d'Alsace*. Il est l'un des élus de je ne sais quel syndicat de journalistes « *nettement gauchiste* », c'est l'une des rares informations concrètes qu'on m'a fournies à Paris avec les sourires entendus de rigueur. En dix minutes, il m'a fait saisir de l'intérieur les difficultés concrètes que rencontrent les professionnels qui sont en poste dans les pays de l'Est ou s'y rendent en reportage. Des difficultés auxquelles on ne voit évidemment pas trop en quoi notre malheureuse Conférence pourrait apporter des solutions.

— Sauf à la marge, a-t-il rétorqué, et sur le terrain, la marge, ça peut faire toute la différence.

Claudine, qui n'avait rien dit de la soirée, a laissé tomber de sa voix douce :

— Comme dans la vie, en quelque sorte !

Jeudi 5 octobre 1989

Mon allocution d'ouverture n'a pas déchaîné l'enthousiasme des masses. Profil bas, m'avaient ordonné les hiérarques du Département. Je n'ai pas dû les décevoir.

Toujours désireux d'être parfait, Leroux avait fait distribuer mon discours à l'avance. Je n'ai pu m'empêcher pourtant d'ajouter quelques phrases à la fin du texte diffusé. Les horreurs que m'avaient dites Claudine et d'autres sur nos collègues roumains en ont fait pour moi les symboles de la mascarade à laquelle nous sommes contraints de nous prêter. Dans la première librairie venue, j'avais acheté je ne sais quel *Penguin* des *Citations du monde*. Les Roumains n'y figurent pas en bataillons compacts, mais il y avait tout de même des munitions à récupérer. J'ai donc exhorté *in fine* notre Conférence à se placer « *sous l'ombre tutélaire d'un Roumain* ». Cette référence inattendue, venant de la part du représentant français, dans une enceinte où tout le monde, les communistes autant que les autres, a envie de dégainer dès qu'on parle de cette ethnie bizarre, a fait taire les conversations particulières. « *Un grand Roumain même* », ai-je ajouté.

J'ai pris le temps qu'il fallait pour que se soulèvent les paupières encore en état de le faire, avant d'asséner ma citation : « *Les choses ne sont pas difficiles à faire, ce qui est difficile, c'est de se mettre en état de les faire.* » Pour que tout le monde s'imprègne de ces mots simples, je les ai répétés :

« ... *se mettre en état de faire* ». J'ai ensuite expliqué que le Roumain en question s'appelait Brancusi, qu'il avait été le sculpteur le plus libre de son époque. J'émettais le vœu que ce grand Européen nous escorte durant les dures semaines que nous allions passer ensemble.

Carrés derrière leur pancarte *ROMANIA*, ni Milescu, ni le jumeau qui le flanque n'ont cillé. Je me suis promis de ressortir des citations de ce genre aussi souvent qu'il le faudrait jusqu'à ce que l'un des deux au moins sorte de ses gonds. Quitte à inventer des auteurs ou des proverbes supposés originaires des rives de la mer Noire. Entre deux discours éteignoirs prononcés par leurs délégués officiels, d'autres Roumains participeront par ma bouche à nos travaux !

Quand je me suis rassis, Carlos a traversé la salle pour me glisser à l'oreille :

— Bien joué ! Tu es moins oxydé que je craignais. À mon tour maintenant !

De ses lèvres pincées, Sir Alec a bien voulu nous octroyer une pause-café. Dans le hall, Pat Callaghan, cravate vert trèfle au vent, s'est approché :

— Tu as voulu dire quoi au juste, avec ton sculpteur roumain ?

Je lui ai expliqué qu'en ma qualité d'individu doué de sens moral, je contestais à ceux qui siégeaient à la place de la Roumanie le droit de représenter la population d'un pays dont je ne savais quasiment rien sinon qu'il avait produit de grands écrivains et de grands artistes. Je comptais le faire savoir à la Conférence autant de fois que j'en aurais l'occasion. Mais qu'il se rassure : je ne mettrai pas en péril les relations Est-Ouest, ni, bien sûr, les intérêts de la France éternelle dont j'étais comptable en cette enceinte.

Nous avons alors croisé le monstrueux Milescu. Prudemment Pat Callaghan s'est éclipsé.

— C'était un artiste considérable, m'a lancé le Roumain sans s'embarrasser d'un quelconque préalable. Nous lui avons construit un musée tout près de son village natal. Vous l'avez visité ? C'est bien dommage, l'endroit mérite le voyage, surtout, bien sûr, si l'on s'intéresse sérieusement à son œuvre. Hélas, à l'époque où il vivait, nous étions encore un pays pauvre et qui méprisait sa propre culture. C'est pourquoi Brancusi a été contraint de travailler à l'étranger, où par malheur se trouvent la plupart de ses œuvres. À Paris surtout.

Sur ces mots prononcés dans un français parfait, il m'a tourné le dos. Il n'y coupera pas, ce salaud, aux récurrentes remontrances de ses compatriotes !

Vendredi 6 octobre 1989

Somptueuse réception offerte au *Carlton* même par la délégation est-allemande à l'occasion du quarantième anniversaire de la République démocratique. Ayant étrenné mon plus beau complet croisé, je suis descendu mécaniquement de ma chambre. Dans le hall soudain, l'idée de me retrouver avec tous les collègues à ce raout absurde m'a épouvanté. Un bon moment, planqué derrière une colonne, j'ai observé par une des baies vitrées la chorégraphie des limousines devant la porte de l'hôtel. Les *ZIL Tantal* – oui, *Tantal*, c'est même écrit en caractères latins pour mieux tantaliser le chaland – se mêlaient fraternellement aux *Rolls* des riches et aux *Mercedes* des peigne-cul, dans un brouhaha de portières qui transcendait la lutte des classes.

J'ai profité de l'arrivée dans le hall de Carlos, décidément aussi vif et tourbillonnant qu'à l'époque de Langues O, pour me décider à accomplir mon devoir. La réception avait lieu dans les salons *Winston Churchill*, une enfilade de pièces meublées Regency, toutes ornées du portrait du héros de la bataille d'Angleterre. « *Un hommage mérité de la RDA à l'immortel auteur du partage de Yalta* », a chuchoté Carlos avec qui j'attendais dans la file le moment de serrer la main de notre hôte, l'ambassadeur Hans Muller. Un exercice qui semblait convenir à l'intéressé à en juger par les sourires qui se succédaient sur son visage lisse. Alignés en rang d'oignons à ses côtés, les membres de sa délégation cherchaient à imiter le mieux qu'ils pouvaient son savoir-faire.

Installé à poste fixe à quelques pas de là, l'ambassadeur Grigori Akhmanov, plus soviétique que jamais, était lui aussi d'excellente humeur. Il ne cessait de rappeler à la cantonade que Mikhaïl Gorbatchev, malgré son calendrier épouvantablement chargé, avait tenu à passer deux jours à Berlin afin de célébrer dignement le quarantième anniversaire aux côtés du camarade Erich Honecker [1]. Comme les télévisions l'avaient fait vivre en direct, à son arrivée à l'aéroport, pour bien marquer son bonheur d'être là, il avait même embrassé le vieux leader sur la bouche. « *À la russe* », répétait le Soviétique, épanoui.

Autour de lui, gravitaient les représentants des pays frères, Polonais compris, à qui apparemment l'on pardonnait l'espace d'une soirée leurs irresponsables tambouilles. Seuls les deux Roumains faisaient tapisserie, feignant d'être engagés entre eux dans une passionnante controverse qu'ils ponctuaient de rires mal calibrés. Ainsi que me

[1] Erich Honecker (1912-1994), Président de la République démocratique allemande (1976-1989). (*Note de l'Éditeur*)

l'avait annoncé Claudine, j'ai vérifié que, vu de près, le jumeau de Milescu a le beau regard torve de Ceausescu[1].

Perdus dans un monde dont les codes leur échappaient, les Occidentaux vidaient dans leur coin les bouteilles de champagne saxon et se bourraient des inévitables canapés aux harengs de la Baltique. Pour leur fournir tout de même quelques repères, au-dessus du buffet principal, une main pédagogue avait déployé une batterie de drapeaux de la RDA encadrant les profils superposés de Marx, Engels et Lénine. Fixées aux murs, des cocardes aux couleurs nationales, avec en leur centre de gros 40 en chiffres rouges, rappelaient à ceux qui auraient pu l'oublier l'événement qu'on célébrait.

— Il manque juste des photos-souvenirs du Mur, a ricané derrière moi un grand gaillard qui s'est enfoncé en claudiquant dans la foule.

En arrivant, certains d'entre nous avaient eu le bonheur d'un bout de dialogue avec le maître des lieux. « *J'espère que le Président Mitterrand pourra faire sa visite officielle chez nous en décembre* », m'avait-il lancé à toutes fins inutiles. À des fins moins utiles encore, je l'avais rassuré, et il m'en avait remercié, en son nom personnel comme en celui de l'État qu'il avait l'honneur de représenter. Au vu de sa mine sévère, j'ai jugé préférable de faire l'économie du sourire complice qui conclut en général ces échanges de verbiage entre collègues.

Toute la soirée, virevoltant, élégant et racé, en digne représentant de l'autre Allemagne, Werner Waldenberg a joué celui qui participe à une sympathique réception entre vieux amis. « *Je les hais* », m'a-t-il murmuré à deux ou trois

[1] Nicolae Ceausescu (1918-1989), Président de la République socialiste roumaine (1974-1989), appelé dans son pays le *Conducator* ou, plus simplement, *le Géant des Carpates*. (*Note de l'Éditeur*)

reprises en passant à côté de moi. Et chaque fois, d'avoir pu ainsi vider son cœur, sa bouche distendue par la fureur se changeait en un sourire charmeur.

Samedi 7 octobre 1989

Pour rattraper le temps perdu, la présidence a prévu une séance supplémentaire ce samedi matin. Indignation sur tous les bancs. De la part des délégués conviés à venir faire la claque aussi bien que chez ceux qu'on condamnait à prononcer leurs discours devant une salle à moitié vide. J'ai pris sur moi d'assumer seul le fardeau de l'homme gaulois, à charge de revanche pour Claudine et le petit Leroux. Bien entendu, la plupart des collègues avaient laissé la place à leurs adjoints, y compris Carlos qui entend bien regagner Madrid chaque fin de semaine.

J'étais arrivé avec l'idée bien arrêtée de me perdre dans mes pensées. Comme souvent, j'ai constaté que je n'en avais pas suffisamment ce matin-là pour pouvoir m'y égarer.

C'est le discours de la Yougoslave, qui m'a tiré de ma torpeur. Une certaine Zonica ou Zorica Belavic. Claudine m'avait dit qu'elle venait de quitter son poste d'ambassadrice à Berlin. Grande femme très sûre de soi, moulée dans un tailleur noir et blanc, elle me donne l'impression de sortir d'un film d'espionnage de l'entre-deux-guerres.

Dès qu'elle a eu la parole, elle a cassé la pompe de nos débats. Incisive, drôle, paradoxale, elle ne s'est pas gênée pour mettre à nu les contradictions où se débattaient nos différents systèmes d'information. Dans un français excellent, elle s'en prit aux fausses « *libertés réelles* » des pays communistes, avant de s'attaquer bille en tête aux équivoques libertés des libéraux. Pas question pour elle pourtant, expliqua-t-elle, de renvoyer dos à dos les deux approches : en sa qualité de citoyenne de la planète, elle avait assez de confiance dans l'esprit critique des gens pour préférer le pluralisme même biaisé par l'argent. Mais il fallait raison garder dans les anathèmes mutuels. À l'appui de ses dires, sans se gêner, elle cita pêle-mêle la *Pravda* et la presse Springer, le *Neues Deutschland* et les télévisions de Berlusconi. Non sans habileté, à moins, après tout, que ce ne fût de l'élégance, elle regretta *in fine* que son pays, « *fort de son non-alignement* », n'ait pas été capable de trouver en ce domaine une voie médiane qui ménage « *la chèvre occidentale et le chou socialiste* ». Elle aurait été ravie de nous en faire profiter...

Chemin faisant, entre autres provocations, elle avait affirmé à ses collègues de l'Est qu'en choyant les journalistes étrangers au lieu de leur mettre sans cesse des bâtons dans les roues, son pays en avait en définitive tiré de grands avantages en termes d'image et de balance commerciale.

Ces paroles furent accueillies dans un silence peu amène. Elle avait trop brouillé les cartes pour que les joueurs autour de la table le prennent bien.

Peu après son discours, Hans Muller, l'Allemand de l'Est qui nous a si fastueusement traités hier, s'est approché d'elle, et il lui a glissé à l'oreille deux ou trois phrases qui l'ont rendue rouge de colère.

— Une pétroleuse, cette Belavic ! a commenté Claudine qui n'avait pu s'empêcher de venir s'assurer que je n'avais pas besoin de renfort. On m'a raconté qu'à Berlin-Est, elle n'a pas cessé d'avoir des problèmes avec les autorités. Elle disait tout ce qui lui passait par la tête. Ces Yougoslaves ont toujours été de dangereux agités.

L'après-midi, sous un crachin glacial, j'ai zigzagué à grands pas à travers la ville, sans parvenir à trouver des raisons d'entrer quelque part. Une seule question : qu'est-ce que je fous tout seul dans ce lieu sinistre, à essayer de tuer le temps ? Il n'y avait évidemment pas de réponse.

Le restaurant japonais où j'ai échoué le soir à Kensington m'a ramené à mon exaspération de départ : les intrigues de ce salaud de Grandin à partir de l'Élysée pour me piquer Tokyo. De là, bien sûr, j'en suis venu à penser à Setsuko. Je l'imagine parfaitement à son affaire, irrésistible du haut de ses trente ans tout neufs, avec je ne sais quel imbécile à se trémousser dans je ne sais quelle boîte. Encore une histoire qui tourne mal. Et même qui n'en finit pas de tourner mal !

En rentrant au *Carlton*, pourtant, j'ai trouvé un message affectueux de sa part. Elle confirmait notre rendez-vous le week-end prochain pour dîner au *Sarrasin*, comme si rien n'était changé entre nous. En prime, elle m'adressait une pluie de ces *bisous* qu'elle affectionne, en Japonaise plus parisienne que nature. Bien sûr, son téléphone ne répondait pas, et c'était mieux comme ça.

Dimanche 8 octobre 1989

En descendant ce matin, je suis tombé sur les deux délégués polonais qui prenaient leur petit-déjeuner ensemble. Face à face en tout cas. Solowski, l'homme du Parti, et Kratowski, le représentant de Solidarnosc et de l'Église. Le premier, petit homme glabre à l'œil perçant, le second intellectuel mal fagoté aux allures de tribun. Ils m'ont fait signe de venir partager leur collation. Le tête-à-tête leur pesait peut-être... Tous deux parlaient un français plutôt correct. Nous aurions, je crois, échangé longtemps encore les banalités de circonstance si, d'un geste mal maîtrisé, Kratowski n'avait pas aspergé de café bien noir mon beau pull très blanc. Je ne me suis plus senti le moindre complexe pour y aller d'une question très directe sur le mode de fonctionnement de leur délégation. Ils ont noyé le poisson jusqu'à ce que j'étende la question à la marche du gouvernement multipartite qui gouvernait maintenant leur pays [1]. Pas simple, ont-ils reconnu d'une seule voix.

— Pas simple en plus à expliquer quand on est assis l'un à côté de l'autre, a renchéri Solowski.

Ils ont éclaté de rire.

— Heureusement nous avons une très longue pratique de la schizophrénie, a rappelé Kratowski. Même si, pour tromper l'adversaire, l'aigle blanc qui préside aux destinées de notre peuple depuis sept siècles n'a qu'une seule tête.

Pour obtenir la bonne réponse à ma question, ils m'ont conseillé de les interroger séparément.

Sous la petite pluie glacée qui a pris possession de la ville depuis plusieurs jours, je me suis fait conduire en taxi à la *National*, puis à la *Tate*, enfin au *British*. Comme hier, je ne me suis pas senti l'envie d'entrer. L'*envie* ! Moi qui depuis l'adolescence n'ai cessé d'exaspérer autrui avec mon intempestive boulimie de musées et de galeries ! Sexagénaire dans pas même six mois : l'impuissance qui s'installe embrasse large...

De retour au *Carlton*, j'ai essayé de me mettre à mon pensum japonais. Près d'un quart de siècle a passé depuis

[1] Pour sortir du conflit qui les opposait depuis dix ans aux syndicats clandestins regroupés dans *Solidarnosc*, les autorités communistes avaient fini par accepter des élections « encadrées ». Elles se tinrent en juin 1989. Après la déroute des candidats officiels, un gouvernement de coalition fut investi le 12 septembre, soit moins d'un mois avant l'ouverture de la Conférence de Londres. (*Note de l'Éditeur*)

le moment où, accroupi devant ma table basse à Shibuya, j'en avais tapé les premières phrases sur ma Japy à ruban bicolore.

Si j'ai apporté avec moi ces quatre cents pages laborieusement produites sur plusieurs générations de machines à écrire, c'est d'abord et surtout pour signifier qu'à Londres je resterai à l'heure de Tokyo... Incapable de me concentrer, j'ai relu des paragraphes au hasard, barré quelques adjectifs, inversé trois mots. Pour avoir le courage de mettre un point final à ce projet pratiquement terminé depuis quatre ou cinq ans, il me faudrait retourner au Japon. Pas vraiment la perspective du moment !

Tout au long du week-end, j'ai remâché mon amertume. Je ne dispose d'aucun élément nouveau, mais d'un coup je ne crois plus du tout à ma nomination à Tokyo. Rage froide devant ce qui m'apparaît comme une injustice sans nom, vanité blessée, exaspération d'enfant gâté... À force de tourner et retourner dans ma bauge, j'en suis venu à m'interroger sur mon envie réelle d'aller là-bas. Je me suis souvenu de ces désirs violents qui m'avaient pris au ventre chaque fois que j'avais été à la veille d'y repartir. Pas le cas cette fois-ci ! La réalité, c'est que ce quatrième séjour risque d'être la répétition d'un parcours trop bien balisé. Même si, enfin, c'est moi le patron, et s'il y a une série de projets précis que je rêve de mener à bien dans ce nouveau contexte. Pas difficile non plus de deviner que ma trajectoire là-bas serait jour après jour ponctuée par le rappel insidieux de « *choses qui sont maintenant du passé* », pour reprendre la formule sacramentelle que prononcent les grands-mères locales avant d'entamer leurs contes le soir à la lanterne.

J'en veux à mort au Département de m'avoir mis en situation de me poser ce genre de questions.

Ce séjour londonien commence aussi mal que prévu.

Lundi 9 octobre 1989

Condamné par les hasards du tirage au sort à parler le dernier des trente-cinq chefs de délégation, l'ami Carlos en a profité pour nous offrir un grand show bien dans sa manière. « *En hommage à l'Europe, notre mère à tous* », ainsi qu'il a expliqué, il a émaillé son exposé sur la liberté des échanges intellectuels en Europe de citations d'écrivains ou d'artistes de chacun des pays présents. Un de ces labeurs de bénédictin où je l'avais vu parfois se plonger à Langues O, par exemple, quand il avait appris en trois mois je ne sais plus quelle langue des pourtours birmans. D'Heinrich Heine à Oscar Wilde, chacun s'est donc retrouvé flanqué de son champion, prenant parfois en pleine poire la phrase retenue par l'orateur. Le Soviétique, notamment, a dû avaler une formule aussi imprévue que virulente tombée de la plume du pourtant si convenable camarade Gorki sur l'indispensable indépendance du créateur.

Moi seul, délicate attention, j'ai eu droit à deux vers d'un écrivain que je jurerais sorti de la seule imagination de Carlos, un poète malencontreusement mort dans la fleur de l'âge au début du siècle, dont l'orateur s'est déclaré très peiné qu'il ne semble plus intéresser les éditeurs français.

Le succès a été à la hauteur du travail. Carlos a eu droit à des applaudissements qui auraient rendu jalouse Margaret Thatcher. On s'est arraché son texte, et la plupart de nos collègues ont promis qu'ils allaient en assurer une large diffusion dans leur pays. Je me suis engagé pour ma part de faire l'impossible pour que le poète français scandaleusement méconnu bénéficie au plus vite d'une réédition de son œuvre, mince certes, mais combien flamboyante.

En tête à tête, j'ai reconnu ma défaite. Nous avons convenu qu'il n'y aurait pas de revanche ! L'important, maintenant que nous nous étions mis en jambes, était de tirer ensemble. Sur quoi, vers où, et quand, on verrait bien.

Première conversation devant un *espresso* avec l'Américain. Rond et volubile, Harry Marx a été le patron d'une grosse entreprise pharmaceutique de Milwaukee. Il paraît soixante-dix ans bien tassés, et comme il le répète toutes les trois phrases, il est un ami du Vice-président [1] dont il a financé la campagne électorale. Être ambassadeur durant quelques semaines le flatte, mais aussi le fait rire. Il n'est donc pas tout à fait irrécupérable. Bien entendu, il a débarqué sans rien savoir de l'objet de la Conférence, pour ne pas parler de la CSCE ou de l'Europe. Son idée fixe, c'est que la *perestroïka* est un piège dangereux.

— Les loups seront toujours des loups, même s'ils se cachent sous une peau de mouton, répète-t-il.

Une remarque qui vaut son pesant de cachets d'aspirine et aurait sans doute enchanté son homonyme. S'appeler Marx en ces lieux ne semble nullement gêner le bon Harry. À ses yeux, soutiennent certains membres peu charitables de sa délégation, c'est Karl qui devrait se sentir mal à l'aise.

Dans toutes les rencontres internationales, je suis fasciné par la coexistence des représentants des deux Allemagnes, chacun débarquant d'une planète où les lois de la physique elles-mêmes paraissent différentes.

D'après ce que m'a dit Carlos qui a été en poste avec lui, Werner Waldenberg est né à Tokyo ; son père a passé toute la guerre au Japon en qualité d'attaché militaire. Hans

[1] Un certain Dan Quayle, élu sur le *ticket* du Président George H. Bush (1989-1993). (*Note de l'Éditeur*)

Muller, lui, a fait ses études à Moscou où, adolescent, il avait trouvé refuge après l'assassinat par les nazis de son père, un responsable du parti communiste allemand.

Je ne sais pas si j'aurai un jour l'occasion d'échanger trois phrases signifiantes avec Muller. Il est l'incarnation de l'homme d'appareil : un moine soldat, le *Capital* dans une main, la kalachnikov dans l'autre. C'est un dialecticien infatigable, englué dans ses certitudes. Vêtu à la diable, sobre, sans doute intègre, il est habité par une logique de la confrontation qui fait froid dans le dos. Y compris dans ses relations avec ceux qui ne devraient pas être à des années-lumière de lui, comme cette malheureuse ambassadrice yougoslave qu'il a brutalisée l'autre jour, quasiment en public. Derrière son épaule, pourtant, je ne peux m'empêcher d'apercevoir l'ombre de son père précipité dans on ne sait quel cul-de-basse-fosse par la Gestapo.

Leroux m'a expliqué que, depuis Helsinki, c'était Milescu qui avait dirigé toutes les délégations roumaines à la CSCE. Toujours il avait dit *Non* à tout. Longtemps, il s'était donné la peine d'en expliquer les raisons, dans son français parfait. Et puis il en avait eu assez de gaspiller sa salive. Désormais il se bornait à lancer de sa place ses *Non* tonitruants tout en brandissant frénétiquement son panonceau national.

— Milescu a tellement peur d'être pris en défaut, a observé Leroux, moins sot en fin de compte qu'il n'y paraît, qu'il double tout ce qu'il fait. Je crois qu'il a oublié pour de bon comment on dit *Oui*. À une conférence l'année dernière, nous avons fait un concours avec quelques collègues. Le premier qui entendrait Milescu dire *Oui* ! Ce fameux *Da* qui est la tragédie des Roumains. Il atteste, en effet, que les Slaves ont réussi à se faufiler jusqu'au cœur de leur langue, dont ils ne cessent, pourtant, de proclamer qu'elle est la plus latine des langues latines.

Eh bien, je dois vous dire, Monsieur l'Ambassadeur, aucun de nous n'a gagné la caisse de champagne en jeu.

Avant d'être à la direction internationale du Parti, a ajouté Leroux, qui a ses fiches bien tenues, Milescu a été professeur d'histoire de l'art à l'université de Bucarest. Brancusi, donc, il sait qui c'est !

Mardi 10 octobre 1989

Les petits-déjeuners au restaurant du *Carlton* sont les seuls vrais moments de convivialité, avant que chacun ait eu le temps de se glisser tout à fait dans son personnage pour la journée. Ce matin, tête-à-tête avec la Yougoslave, que j'ai félicitée pour son discours, le seul avec celui de Carlos à être sorti de la grisaille.

— J'en ai ma claque du politiquement correct. À Berlin dont je viens, tous les matins je me cognais à cette saloperie de Mur qui est comme douze balles dans la peau de Marx, de Rosa Luxemburg et de tant d'autres. Mon pays est en train de crever sans que personne ait le courage de le dire. Ni les politiques, ni la presse, ni même les citoyens entre eux. Pourtant notre malheureuse Fédération va dans le mur. Dernière ligne droite avant la collision ! Il est grand temps que nous apprenions les uns et les autres à parler avant que se déchaînent les tragédies.

Elle a souri, s'est excusée pour ces propos peu en phase avec l'heure matinale. Elle a enchaîné en me remerciant pour mes citations. « *Ces Roumains sont des ordures !* a-t-elle lancé dans son français sans fard. *Il faut leur rentrer dedans !* »

Il nous aura donc fallu supporter en lever de rideau huit jours de cocoricos préalables poussés à la queue leu leu par chacun des trente-cinq participants, puis par les représentants des organisations internationales présentes ! Jusqu'au Secrétaire général de l'ONU qui a éprouvé le besoin de venir nous caresser dans le sens du poil, une nouvelle occasion pour Maggie de se faire voir à cette Conférence dont elle est une des seules à attendre quelque chose.

Cet après-midi, enfin, nous sommes entrés dans le *vif du sujet.* Si du moins l'on peut utiliser cette expression qui laisse supposer qu'il y a *vie* et qu'il y a *sujet.* Le Secrétaire général nous a présenté ligne après ligne les deux pages filandreuses, généreusement qualifiées de *Préambule,* qui doivent en principe ouvrir la *Déclaration sur l'Information en Europe* dont le projet est soumis à notre Conférence.

Dérision : vers la fin de l'après-midi, par un vote unanime, nous avons décidé de renvoyer l'examen de cette partie du texte à quand nous y verrions plus clair sur l'avancée de nos travaux...

« *Article 1* », a alors aboyé Sir Alec qui avait fait l'effort de passer un bout de la journée avec nous. Les bruits divers qui ont accueilli son invite ont incité Ted Garrisson, en loyal adjoint, à se pencher vers son oreille, sans doute pour lui rappeler qu'il était près de six heures. Et comme il paraissait décidé à négliger cette contingence, le Secrétaire général a bondi, pour l'informer que les interprètes cesseraient leur travail à cette heure-là quoi qu'il arrive. Furieux de tous ces bâtons qu'on lui mettait dans les roues, en catastrophe Sir Alec a levé la séance en ayant l'intelligence de garder pour lui ses commentaires.

J'ai fini par accepter d'aller dîner en ville avec quelques collègues. « *Un restaurant lyonnais, tu ne peux pas ne pas nous accompagner !* » m'a dit Carlos. Devant un « *saucisson chaud Édouard Herriot's style* », la spécialité de la maison, nous avons pesé les mérites des deux clubs de squash proches du *Carlton* et fraternellement partagé nos martingales pour dégoter des taxis et des billets de théâtre. À la fin du repas, deux ou trois d'entre nous, un peu plus dessalés, ont évoqué les clubs privés vers le *Saddler* d'où l'on est sûr de ne pas ressortir seul. Avec quelques courageux de mon genre, je suis rentré à pied dans la nuit soudain radoucie. À notre arrivée à l'hôtel, mes compagnons de route étaient en train de parvenir à la conclusion que, « *tous comptes faits* », nous faisions un métier pas si mal que ça. Je les ai laissés au bar peaufiner leurs comptabilités.

« *Quand j'essaye mon pinceau, je me souviens de vos tresses noires.* » Un poème que récitait volontiers Kenji au début de nos leçons de calligraphie. « *Un poème du XIe siècle* », comme il avait précisé la première fois, pour ma gouverne. Qu'une société puisse indifféremment puiser dans dix siècles pour inventorier le monde me touche toujours autant. Mon manuscrit ouvert au hasard, j'ai pensé à lui, mon vieux *sensei*[1], filiforme dans son éternel kimono bleu nuit, qui m'a ouvert les portes. Pensé aussi à Yoshi, à Setsuko… mon univers à moi, comme la fréquentation de ces grand-messes européennes m'en a convaincu plus encore. Bien sûr, je n'ai pas avancé d'un pouce dans la relecture de mon pensum.

Mercredi 11 octobre 1989

Vissé à son banc, Mgr Luigi Macchioli est l'observateur du Saint-Siège. Un profil d'aigle, des boucles argentées, des mains impeccablement soignées, l'homme a belle

[1] *Sensei* : maître. (*Note de l'Éditeur*)

allure. De surcroît, il possède une voix de baryton qui donne à ses moindres phrases une parfaite évidence. Toujours la plume à la main, j'imaginais qu'il notait fébrilement les interventions de tous les orateurs pour la dilection du Saint-Père. Mais Kratowski, qui, en sa qualité de responsable de Solidarnosc, l'a beaucoup fréquenté à l'époque où il était conseiller à la nonciature de Varsovie, m'a détrompé. Il serait en train de mettre la dernière main à un traité sur *L'Économie de la Rédemption*. Ce sera un livre majeur, assure Kratowski, et sur ce point au moins, je lui fais pleine confiance. Au Vatican, cependant, la Secrétairerie d'État l'aurait à l'œil. Ses employeurs auraient découvert qu'il était peu assidu aux réunions auxquelles il était supposé assister. Dûment sermonné, il se tiendrait désormais à carreau. Une nomination en Papouasie Nouvelle-Guinée est si vite arrivée.

Les représentants de je ne sais combien d'organisations non gouvernementales hantent les couloirs du Centre de conférences, prêts à entamer le dialogue avec les imprudents qui répondent à leurs bonjours. L'un des plus activistes, qui répond au beau nom de Coriolis, a repéré que nous étions tous deux nés à Grenoble. Il en profite pour me harponner sans complexe.

Sa raison sociale, c'est « *la promotion de l'action théâtrale internationale* ». Usant de son physique de père noble, il prêche inlassablement auprès des délégués pour que les pays de la CSCE ouvrent grand leurs frontières aux troupes de théâtre. « *Et à toutes les professions du spectacle* », ajoute-t-il, bon prince.

Il ne manque pas de bagout. À l'écouter, on en vient à se convaincre que Shakespeare, Molière et Brecht sillonnant en tous sens les deux Europes feraient plus pour la paix et la compréhension entre les peuples que toutes les réunions de fonctionnaires. « *Et le Mur finirait par tomber tout seul* », ajoute-t-il en ne souriant qu'à peine. La thèse, en vérité, mérite examen... Son association regroupe des centaines d'artistes, dont les visages avantageux ornent les plaquettes qu'elle publie. Il m'a relancé en fin de journée dans le bureau de notre délégation. En parcourant sous ses yeux inquisiteurs la motion que son organisation s'apprête à déposer, je me suis demandé si certains des documents de notre Conférence n'étaient pas plus délirants encore.

Car la discussion qui a occupé entièrement notre journée avait de quoi laisser songeur. Nous était soumis l'avant-projet des cinq premiers articles de la *Déclaration*. Le texte était le produit d'une bonne dizaine de réunions d'experts tenues aux quatre coins de l'Europe. Supposé définir les termes employés dans les soixante-treize articles qui suivent, ce n'était qu'une suite de truismes et de non-dits. Normal puisque des mots essentiels comme *liberté*, *garantie* ou *opinion publique* ont des sens rigoureusement opposés pour chacun des deux camps.

Comme l'a résumé en fin de séance Ted Garrisson qui aujourd'hui, heureusement, assurait seul la présidence, « *il nous reste du pain sur la planche* ». Une expression qu'en amateur éclairé de baguettes parisiennes, il a même lancée en français, étant de ces Anglais qui n'hésitent pas à rendre justice aux autres nations de la planète chaque fois que, d'aventure, elles le méritent.

Récurrente, la certitude d'être un vilain petit canard au milieu de tous ces cygnes si viscéralement européens. Duvet blanc ou plumes rouges, qu'importe : ils sont tous d'*ici*. Pas moi ! J'ai trop longtemps vécu loin du marigot où, depuis Yalta, infatigables, ils échangent leurs coups de bec.

Une situation qui me fait observer toute cette agitation avec, comme dirait Rancourt, « *l'œil froid du libertin* ». Un luxe que ne peuvent pas se payer les autres participants à notre Conférence, tous ou presque du sérail.

Jeudi 12 octobre 1989

J'aime bien mon voisin immédiat, Finlandais, alphabet oblige. C'est lui qui à la réception est-allemande déplorait l'absence de photos-souvenirs du Mur... Heikki Tuominen est le bûcheron que l'on attend venant de ces forêts infinies. Il ne cesse de faire à mi-voix des commentaires sur ce qui se passe : les bavards, les dormeurs, les flirteurs, les cireurs de pompes. Lorsqu'il ouvre la bouche, son rire sort volontiers, par cascades qui mettent la salle en joie. Originaire de Carélie [1], il a eu le privilège, adolescent, d'assister au massacre de sa famille par l'Armée rouge. Une grande partie de sa carrière s'est déroulée à l'ambassade de Finlande à Moscou. Il voulait être à pied d'œuvre quand le moment arriverait enfin de solder les comptes. Visiblement, il n'a pas perdu espoir que viendra l'heure... Au dire de ses collaborateurs, s'il a toujours eu son franc-parler, c'est depuis un récent accident cérébral qu'il a perdu toute retenue. Personne pourtant dans sa capitale n'ose le mettre à la retraite, de peur de ses réactions imprévisibles. Depuis le début, le processus d'Helsinki est sa propriété personnelle.

Quand Akhmanov, dans son discours d'ouverture,

[1] Province finlandaise annexée par l'Union soviétique en 1940. (*Note de l'Éditeur*)

a évoqué le long combat soviétique en faveur de la paix, Heikki Tuominen n'avait pu s'empêcher de murmurer : « *Kaboul ! Kaboul !* » Suffisamment fort pour que la moitié de la salle l'entende. Mais il fait trop partie des meubles pour que les Soviétiques songent à en faire un incident.

Long entretien avec Marcus Schuster dans le modeste bureau qu'il occupe au milieu de son équipe du Secrétariat général, installée au fond des cales du Centre de conférences. Sur les murs, des diagrammes zébrés de flèches de toutes les couleurs montrent comment s'articulent plénières, commissions, groupes de travail et autres instances internes et externes. Les schémas de fonctionnement des chaudières d'un paquebot de la *Belle époque* !

Sautant d'une langue à l'autre, le Secrétaire général répond aux appels téléphoniques qui pleuvent tout en poursuivant la conversation amorcée avec le visiteur assis en face de lui. De temps à autre, il ramène d'un geste preste la mèche poivre et sel qui s'obstine à glisser sur son front, ou bien il jette machinalement des « *Où en étions-nous, Monsieur l'Ambassadeur ?* », alors qu'il sait parfaitement où il en est, lui au moins.

C'est peu de dire que Schuster maîtrise parfaitement l'exercice où nous sommes engagés. En vérité, il en tire tous les fils. S'il connaît par cœur la subtile mécanique de l'organisation, c'est que, pour l'essentiel, il en est l'inventeur... Dans chaque délégation, à l'Ouest comme à l'Est, il a des complices avec qui, depuis dix ans, il a monté des coups, histoire que chacune des conférences produise sinon des résultats effectifs, du moins l'illusion du mouvement. Le petit Leroux déplumé fait partie de ceux qu'il utilise comme garçons de course dans ses manœuvres, et il le traite sans y mettre trop de manières. Ce qui n'empêche pas ce dernier d'affirmer plus souvent qu'à son tour : « *Ce Schuster est un homme remarquable.* » « *Très fort* », préfère dire Claudine.

Cet après-midi, après quinze jours d'une méritoire attention, j'ai décroché. Ces parlotes tout à coup me sortaient par tous les pores de la peau. Comme pas mal d'autres, j'ai fermé un œil, puis l'autre. Sur le mur derrière la tribune de la présidence, me sont apparus de grands portraits comme il en pend dans les congrès politiques. Marx et les autres, leurs mâles visages fraternellement mêlés à ceux de Mussolini et d'individus qui me rappelaient quelque chose : d'anciens profs, le voisin du dessous quand j'avais quatre ou cinq ans, mon père même, m'a-t-il semblé...

« *Qu'en ce moment historique*, a beuglé soudain l'orateur du moment, à qui pourtant personne ne demandait rien, *notre vieux continent se montre à la hauteur des bâtisseurs de ses cathédrales !* » Personne n'avait écouté un mot de son intervention prononcée d'une voix monocorde. Mais sa péroraison, je ne sais combien de décibels plus haut, a réveillé tous les délégués. Profitant de notre subite attention, Sir Alec, du haut de son fauteuil présidentiel, nous a annoncé deux ou trois réunions supplémentaires, visant à rattraper ce qu'il a appelé en maître d'école mécontent « *le retard préoccupant qu'ont pris nos travaux* ».

Paris, vendredi 13 octobre 1989

Paul Duval-Veyron, l'improbable secrétaire d'État auprès du ministre des Affaires étrangères, est surtout chargé de représenter les radicaux de gauche et l'Auvergne au sein du gouvernement. Un dur labeur. Mais il a aussi un portefeuille dont notre Conférence est l'un des fleurons. Quinze jours après le début de nos travaux, P.D.V., comme il aime qu'on l'appelle, a enfin trouvé le temps de me recevoir. Il ne porte à l'évidence qu'un intérêt médiocre au sujet, mais il est content d'avoir un dossier qu'aucun de ses collègues ne lui dispute. Ainsi que la presse le rapporte avec complaisance, le ministre dont il dépend prend plaisir à l'humilier. En l'espèce, il l'aurait mis à l'aise en lui garantissant qu'il n'en avait rien à cirer, de cette Conférence.

Vingt minutes d'entretien, montre en main. Dans le bureau agressivement Troisième République affecté de toute éternité par le Quai au secrétaire d'État, aussi loin du Ministre qu'il est possible, pas un meuble n'a bougé depuis la première fois où j'y ai pénétré. C'était pour rencontrer Rancourt, alors jeune quinquagénaire. Je ne sais pourquoi il avait eu la faiblesse de participer sur un strapontin à un gouvernement qui avait fait tout un tapage sur le thème de l' « *ouverture à la société civile* ».

Complet sombre et bronzage à l'avenant, Duval-Veyron y a été de ses instructions : coordination permanente avec nos partenaires privilégiés allemands, pas d'affrontement avec la présidence anglaise, ouverture en direction des Polonais et tutti quanti. En m'assénant ces platitudes, le nez sur les papiers qu'on lui avait préparés, il était sérieux comme un pape. Est tombée la lapalissade finale :

— Et puis, pas besoin de vous faire un dessin, Monsieur l'Ambassadeur : pas de vagues, hein ! L'Europe vit un moment très délicat. Surtout, ne compliquons pas les choses !

J'ai promis de naviguer toutes voiles dedans.

Paris, samedi 14 octobre 1989

À Matignon, on m'a juré-craché qu'on suivait le dossier de ma nomination à Tokyo avec passion. Le Premier ministre avait trouvé mon éviction de la Direction d'Asie cavalière, pour ne pas dire plus. Il considérait qu'on me devait une compensation.

J'ai compris qu'en tout cas l'équipe de Matignon n'épargnerait rien pour contrecarrer la candidature de l'homme de l'Élysée. De sa tanière, Grandin continuait à leur faire des coups pendables. En ce moment, il jetait un brouillard systématique sur les initiatives que multipliait le Président de la République en direction de l'Est.

Le rendez-vous était l'occasion de confirmer au conseiller diplomatique du Premier ministre que Thatcher avait une vraie passion pour son patron. Avec un sourire, il est vrai, mon interlocuteur m'a demandé d'en finir avec ce qu'il a appelé mes « *plaisanteries de carabin* ». La mention que j'avais faite dans l'un de mes télégrammes des « *best regards* » de Maggie à « *dear Michel* » n'avait fait rire ni l'intéressé, ni, du reste, les camarades du *château*[1].

Hier soir au *Sarrasin*[2], j'ai retrouvé Setsuko. Bu, dansé, couché comme si nous venions de nous quitter. Une fois de plus, j'ai vérifié que nos gestes, nos regards, nos cris, étaient étrangement proches. « *Nous sommes l'un à l'autre l'avers et le revers* », m'a-t-elle assuré. Dans quel bouquin ou auprès de qui avait-elle déniché cette expression bizarre ?

[1] L'*Élysée* dans le jargon politique en usage à l'époque mitterrandienne. (*Note de l'Éditeur*)

[2] Blotti à l'ombre des tours de l'église Saint-Sulpice, ce club privé fit les beaux soirs du Paris branché dans les années 70 et 80. (*Note de l'Éditeur*)

J'ai préféré ne pas le savoir. Cela dit, sans trop bien saisir ce qu'elle voulait dire, je le ressentais comme ça, moi aussi. Au moment où elle l'a dit, bien sûr. Car nous savons bien, l'un comme l'autre, que nous arrivons au bout de notre trajectoire commune.

Samedi matin, nous avons passé un long moment à la librairie japonaise de la rue Monge. J'en suis ressorti les bras chargés des derniers bouquins parus sur *ma* période. Qu'au moins je n'aie pas d'alibis d'ordre documentaire pour différer encore la remise de ma copie… Incroyable quand même, m'a dit Setsuko sans cacher son agacement, que je n'utilise pas les loisirs que m'offre cette absurde Conférence de Londres pour enfin boucler l'exercice.

En déjeunant dans notre *sushiya* habituelle, j'ai constaté que la surdouée qu'elle est continue d'élargir le champ de ses curiosités. Méthodiquement elle investit le monde, butinant sans se lasser et tordant le cou à tout ce qui ne lui paraît pas porteur d'avenir.

Au cours de notre conversation, j'ai eu l'occasion de lui expliquer le sentiment d'étrangeté que j'avais ressenti quand elle avait débarqué dans ma vie. Pour la première fois, une Japonaise qui m'attirait, et un peu plus, avait ma taille ! En trente ans j'avais vu mes amoureuses, américanisation du pays oblige, grandir de trente centimètres, leurs nez exquis s'allonger, leurs jambes délicieusement arquées pousser droit comme des bambous. Quant à la langue qu'elles parlaient et aux intonations qu'elles y mettaient, elles s'étaient à ce point rapprochées de celles des hommes qu'on en arrivait par moments à croire à l'unité de la race nipponne.

Je ne sais comment j'en suis venu à évoquer, pour la première fois, Yoshi. J'ai dit ce que, de vingt ans mon aînée, elle m'avait appris de la vie et de l'amour durant mon premier séjour. J'ai expliqué qu'elle était belle et insondable comme ces jardins de pierres où elle m'entraînait dans son Kyoto natal. Je lui ai raconté, aussi factuelle que possible, notre séparation quand le moment vint pour moi de regagner la France.

Setsuko a paru sensible à la confiance que je lui témoignais en lui faisant découvrir un passé dont je ne lui avais jamais parlé, et aussi en évoquant, sans cynisme ni amertume, cette rupture lointaine. Ces confidences, peut-être, nous aideront pour la suite. Une suite dont nous savons ce qu'elle sera, même si le calendrier exact reste à fixer.

Sans prévenir, un maigre soleil s'est pointé. Nous avons quitté le café où nous devisions pour aller marcher au Luxembourg, notre lieu de prédilection depuis son arrivée à Paris. Soudain elle a regardé sa montre :

— Je suis horriblement en retard ! Bon ! Tu as eu l'intermède asiatique dont tu avais besoin ! J'espère que tu as compris qu'à moi aussi, ça m'a fait plaisir de te retrouver, non ?

Pas question que nous passions le reste du week-end ensemble :

— Des amis ce soir, à qui je ne peux vraiment pas faire ça ! Et demain, avec ton avion qui décolle en milieu d'après-midi, ça ne nous laisse décemment pas le temps de nous voir.

L'idée de faire un saut à Londres un week-end prochain ne l'effleurait pas. Elle avait tant de choses à faire ici, tant de gens à rencontrer :

— Tu n'as qu'à revenir. C'est la porte à côté ! Tu sais bien que, si tu me préviens suffisamment à l'avance, je m'arrange pour me libérer.

« *Tu glisses de nénuphar en nénuphar* », m'avait-elle reproché un jour en citant une chanson célèbre à Tokyo dans les années 50, que je lui avais fait découvrir à son arrivée à Paris. Un refrain qu'à mon tour je pourrais lui fredonner aujourd'hui... De ce point de vue aussi, nous sommes proches. De plus en plus je me répète qu'elle est ma fille… Même si ses yeux sont un peu bridés par rapport aux contraintes usuelles de la génétique.

En quatre ans, la timide diplômée de Todaï[1] qui était passée me voir à mon bureau en débarquant sur les bords de la Seine, est devenue directrice de je ne sais quoi dans sa banque nippone. Et elle est à tu et à toi avec la moitié du Tout-Paris.

Difficile après avoir revu Setsuko, si retenue et pourtant rayonnante – si belle malgré ses trente centimètres de trop… –, de ne pas me sentir étranger à cette Europe où je me trouve plongé malgré moi. Cette Europe où, dès demain soir, je vais me retrouver de nouveau séquestré pour je ne sais combien de semaines ! Avec comme carotte, si je suis bien sage, et si le Ministre a des dents, des dents assez acérées pour dépecer les candidatures de divers malpropres, une hypothétique affectation dans la moitié de planète que je me suis choisie.

Dimanche 15 octobre 1989, 23 heures 30

Rencontre ce matin avec Rancourt, mon *maître* de ce côté-ci du monde. Nous ne nous étions pas vus depuis les vacances. Comme toujours, il m'avait donné rendez-vous au *Pont Royal*[2]. Il y va presque chaque jour, pour y rêver

[1] La plus prestigieuse des universités de Tokyo. (*Note de l'Éditeur*)

[2] Enfoui dans les sous-sols de l'hôtel éponyme de la rue Montalembert, ce bar a accueilli pendant un bon demi-siècle les minuscules secrets des éditeurs et des écrivains du quartier, et hébergé les petits complots des élites politiques et administratives de trois Républiques. (*Note de l'Éditeur*)

du temps où il y montait ses coups avec les puissants du moment tout en lorgnant les *écrivaines*, ainsi qu'il aime encore à dire, si peu féministe pourtant. Les puissants sont morts et sans doute les *écrivaines*, mais les lumières tamisées et les whiskies hors d'âge de la maison excitent toujours autant sa libido octogénaire.

— Alors, ils ont fini par vous rattraper ? a-t-il entamé.

Il avait aux lèvres ce sourire légèrement sardonique qu'il a promené pendant quarante ans à travers le monde.

— Il était temps que vous souffriez vous aussi. Toute une vie à Kyoto ou à l'abri de la Grande Muraille, c'était un peu trop facile, non ? Mais on vous a choisi un bon moment pour monter à bord du bateau européen. Le moins qu'on puisse dire, c'est qu'il tangue comme il ne l'a pas fait depuis bien longtemps. À moins plutôt qu'il ne roule. Où allons-nous débarquer quand les vents tomberont, vous en avez une idée, vous, maintenant que vous êtes devenu un spécialiste de notre continent ?

Comme chaque fois, il a fait semblant d'attendre que j'articule le début d'une réponse à ses questions. Mon silence l'a soulagé, et il a entamé son analyse de la situation. Étincelante à son habitude, et jamais là où on l'attendait. Ce qui m'a frappé, c'est la certitude qu'avait cet homme si viscéralement circonspect que le processus amorcé à Moscou ne pourrait plus être stoppé. Presque une inversion des rôles entre nous. Celui qui tant de fois m'avait imposé ses doutes m'assénait ses convictions. À chacune de mes objections, il trouvait la parade, y compris quand j'ai brandi la brutale riposte chinoise aux velléités de libéralisation : le massacre de la Place Tien An Men voici cinq mois.

Avant de nous séparer, il a résumé. Le seul risque que courait le système soviétique depuis la mort de Staline, c'était que les nomenklaturistes commettent une bourde monumentale en choisissant celui des leurs à hisser sur le pavois. La probabilité qu'une fois dans la place, celui-ci se mette en tête de réformer le système pour de bon était proche de zéro. Et voici que, pour faire moderne, ils ont sorti de leurs chapeaux mous le sémillant Gorbatchev ! Aucun doute : ce qui devait arriver en ces circonstances arriverait ! L'édifice était trop vermoulu pour ne pas imploser.

— Un joli verbe, cet *imploser*, non ? a lancé bizarrement Rancourt.

Je me suis dit que pour enfourcher ainsi les scénarios catastrophe, il approchait de l'âge où Déluge rime avec Paradis. Comme s'il devinait ce que je pensais, avec un sourire il m'a lancé :

— Vous vous rappelez mon unique conseil quand vous avez déboulé dans mon bureau, frais émoulu des écoles : méfiez-vous des jeunes ! Les types du Politburo me semblaient avoir compris ça bien mieux encore que les politiciens de chez nous. En définitive, ils se sont laissé avoir comme des bleus. On n'est jamais trop prudent.

Avant de gagner Roissy, je suis passé en catastrophe à Beaubourg revoir l'atelier de Brancusi. Mon compagnon de chambrée désormais. L'occasion d'acheter ses *Carnets* à la librairie du musée. Une mine de projectiles pour les semaines à venir.

Dans l'avion de Londres : Kugelman, « *l'expert presse écrite* » de notre délégation. Il revenait d'un congrès à Berlin-Ouest. Bilingue, il grenouille depuis une éternité dans les milieux de la presse allemande. Il a attiré mon attention sur le sérieux malaise qu'il avait perçu en RDA. La *perestroïka*, l'évolution en Pologne et en Hongrie avaient donné du courage aux quelques poignées d'opposants résolus. Depuis la venue de Gorbatchev aux cérémonies du quarantième anniversaire et sa dénonciation, discrète mais ferme, de ceux qui restaient « *à la traîne de l'Histoire* », des pans entiers de la population s'étaient décidés à exprimer leurs revendications. Il faudrait du temps, bien sûr. Mais l'étau pouvait se desserrer plus vite qu'on imaginait.

Kugelman m'a aussi fait part de l'évolution qu'il discernait chez certains de ses confrères membres des délégations de l'Est à Londres, pas précisément choisis pourtant pour leur ouverture d'esprit. Il avait pu avoir des apartés confiants, et pas seulement avec les éternels Polonais. Sans remettre en cause le système auquel ils appartenaient, nombre d'entre eux désormais jugeaient aberrant le verrouillage total de l'information à l'heure des radios et des télévisions sans frontières. De là à se battre résolument contre la ligne officielle, il y avait un fossé qu'aucun n'était sans doute prêt aujourd'hui à franchir. Mais un jour, ils sauteraient le pas.

Le comble : presque heureux ce soir de retrouver Londres et ma chambre d'hôtel ! Rétrospectivement, la journée avec Setsuko a pris des contours plus que mélancoliques. Elle me renvoie à mon incapacité à lui laisser prendre le large comme il le faudrait. Presque aussi désespérant : pour la première fois Rancourt, d'une certaine façon le père que je n'ai pas eu, m'est apparu vieux et sentencieux.

Bref, mieux vaut remonter à bord du grand paquebot tout blanc où nous nous trouvons incarcérés, mes compagnons de croisière et moi !

Lundi 16 octobre 1989

Mes compagnons de croisière ! Ces mots ont tourné dans ma tête au long de la journée ! En replongeant ce matin dans notre Conférence, j'ai retrouvé, toutes fraîches, les sensations éprouvées lors des semaines passées sur le *Ville d'Alger* qui m'emmenait pour la première fois dans le Japon de mes rêves. C'était, j'imagine, l'hiver 1955-1956 : Suez était encore français, Saigon ne l'était plus [1].

À bord, l'air raréfié et les mêmes scènes en demi-teinte : ces silhouettes inconnues, plus familières que nature pourtant, qu'on croise et recroise dans des coursives toutes pareilles. L'inévitable fâcheux qui entreprend tout à coup, les mains rivées au bastingage, de vous exposer, avec la plus grande impudeur, ses affaires là-bas sur la terre ferme. Et soudain au loin l'apparition d'une créature de rêve qui disparaît derrière une manche à air sans qu'on ait la force de se lancer à sa poursuite. Bref, un monde au ralenti, dans lequel s'engluent les énergies.

Tout au long de cette lointaine traversée, j'avais eu l'impression de vivre *Huis-clos*, la pièce qui triomphait alors sur toutes les scènes du monde. Qu'ici à Londres l'océan soit remplacé par l'asphalte, un élément en principe mieux adapté à la locomotion des bipèdes, ne change pas grand-chose. La plupart des délégués se bornent à aller de leur hôtel au Centre de conférences,

[1] Le *Ville d'Alger* quitta Marseille le 13 décembre 1955 pour Yokohama via Suez, Singapour et Saigon. Propriété de la *Compagnie de Suez*, une société de droit français, le canal ne fut nationalisé qu'en 1956 alors que le Vietnam avait obtenu son indépendance l'année précédente. (*Note de l'Éditeur*)

prenant leurs repas à la cafétéria ou dans les quelques restaurants qui se trouvent sur le chemin. Quand le temps le permet, les plus hardis se dégourdissent les jambes un instant sur le quai proche. Tout comme nous montions alors prendre l'air sur le pont-promenade du *Ville d'Alger*.

Les travaux semblent avoir fait quelque progrès pendant mon absence. Claudine m'a expliqué que les Polonais et les Hongrois avaient mis sur la table des propositions nouvelles sur les conditions de travail des journalistes, qui ont surpris par leur libéralisme. Ce qui a causé la plus grande surprise, c'est que le jeune Malevitch, au nom de la délégation soviétique, se soit rallié à leur approche, en demandant tout de même que la nouvelle rédaction reste entre crochets jusqu'à ce qu'un feu vert soit arrivé de Moscou. Bien entendu, les Roumains avaient bruyamment exprimé leur opposition, soutenus par les Allemands de l'Est et les Bulgares. Un rapprochement imprévu, qui laisse penser que le scénario à venir en Europe, et par voie de conséquence dans notre Conférence, est un peu moins ficelé d'avance qu'on ne croit.

En l'écoutant, j'ai pu me convaincre que Claudine tenait le siège de la délégation bien mieux que moi. Elle saisit au quart de tour ce que ceux d'en face manigancent. Aussi ferme que calme et souriante, elle est construite pour ce genre de confrontation obstinée. On m'a garanti à Paris qu'elle aura Sofia quand mon vieux camarade Planchon passera l'arme à gauche. Le pauvre en est maintenant à revenir passer dix jours par mois dans un hôpital parisien.

Mon imbécile de secrétaire d'État serait satisfait de voir avec quelle conscience Werner et moi, nous ne cessons de nous coordonner, ainsi que de rituels télégrammes de Paris et de Bonn ne cessent de nous y exhorter. Sans réticence ni plaisir particulier. Mon collègue ouest-allemand est trop parfait pour qu'on ait réellement envie de collaborer avec lui. Élégant, sportif, prévenant, il cherche en toutes circonstances à être le meilleur, et il y parvient. Un ambassadeur comme on n'en fait plus.

Il est vrai qu'il a été élevé à Tokyo dans le sérail. Il se souvient de la peur que lui causaient les officiers reçus par ses parents dans leur maison de Shinjuku. Recroquevillé sur son *futon*, il écoutait monter jusqu'à sa chambre leurs hurlements rauques qu'il parvient encore aujourd'hui à reproduire de manière assez terrifiante, ce que les générations nipponnes d'aujourd'hui ne sont plus capables de faire. Le japonais a été sa langue maternelle, même s'il ne lui en reste que des mots en vrac – *kusuri*, par exemple, ce qu'on comprend, mais pourquoi *gomiya-san* ?[1] – et quelques expressions obscènes qu'il m'a énumérées un soir au bar du *Carlton* où nous avions bu pour oublier l'absurdité de l'exercice dans lequel nous avons été projetés. Mais les souvenirs de son enfance tokyoïte sont tels qu'il s'est arrangé pour ne jamais remettre les pieds au Japon depuis son entrée aux Affaires étrangères.

Inaltérables sur leurs sièges, l'énorme Milescu et son jumeau continuent à lever leur pancarte *ROMANIA* et clamer leurs *Non*. Ils ne parlent avec personne, ne vont jamais au bar durant les pauses. Nul ne pénètre dans le bureau de leur délégation. Au terme d'une dure bagarre avec les services de sécurité, ils ont obtenu de faire eux-mêmes leur ménage, et qu'un des leurs passe la nuit dans les lieux. Dès que la porte de leur antre s'ouvre, se plaignent leurs voisins portugais, des effluves de choux bouillis envahissent le couloir.

[1] *Kusuri* : médicament ; *gomiya-san* : éboueur. (*Note de l'Éditeur*)

J'ai été content cet après-midi, après une nouvelle série de grognements obscènes de Milescu, de pouvoir placer une seconde citation de Brancusi. Comme la première fois, il n'a pas moufeté.

Juste après cette brève intervention, j'ai eu droit aux encouragements pas vraiment silencieux de mon voisin finlandais. Il s'est penché vers moi :

— Je vais vous donner un coup de main, a-t-il promis. Je ne sais rien de votre Brancusi ni de cette foutue Roumanie. Mais j'ai acheté à Helsinki avant mon départ un recueil de proverbes lapons qui venait de paraître. Ça devrait faire l'affaire à condition de supprimer les troupeaux de rennes et les aurores boréales.

Il est parti d'un rire si homérique que l'orateur du moment en a trébuché dans ses notes.

Jour après jour, j'admire le professionnalisme de Ted Garrisson. En l'absence de Sir Alec qui a vite compris que l'exercice quotidien de la présidence de la Conférence était un labeur harassant, il est vingt-quatre heures par jour disponible. À chacun, il fait croire qu'il écoute avec passion et prend note de tout. Il sait aussi donner en permanence l'impression qu'à ce stade, il ne s'est encore fait une idée définitive sur rien. Pas un travail que je saurais faire ! Ted a tellement de qualités qui me manquent, y compris la résistance à la vodka ! Il n'y a guère que pour tenir une soirée entière bien droit sur un tatami que je dois être meilleur.

Reste qu'à la soixantième année de notre âge, nous sommes tous les deux dans la merde, et dans la même merde : depuis trente ans, l'un comme l'autre, nous marchons avec une belle persévérance vers nos rêves respectifs, Moscou pour lui, Tokyo pour moi. Et voilà que dans la dernière ligne droite, sur la route qui paraissait enfin dégagée, nous rencontrons, lui Sir Alec qui ne cesse de le débiner auprès de Margaret Thatcher, et moi, ce salaud de Grandin qui, de l'Élysée, glisse en toutes occasions le plus venimeux des commentaires : Tromelin est trop *tatamisé* pour faire l'affaire.

Mardi 17 octobre 1989

Minerva, la sculpturale *numéro 2* de la délégation grecque, couche avec le Pat Callaghan malgré son horrible cravate vert trèfle qui bat la chamade. Leur idylle, m'a confié ce dernier à qui je ne demandais rien, s'est nouée dès le premier soir de la Conférence. « *C'est le moment où les cartes se redistribuent* », a-t-il jugé utile de me préciser, en souvenir sans doute des déportements dont nous nous sommes rendus coupables en amicale complicité quand, à Pékin, nous vivions la Révolution culturelle en direct. « *Son corps est une splendeur*, a-t-il ajouté. *Ton ami Brancusi l'aurait sûrement coulée dans le bronze.* »

Selon Claudine, l'un des petits jeux innocents des délégués est de vérifier que Minerva et Pat sont bien absents en même temps. Minerva est l'épouse d'un des ténors de la droite hellénique, et lui le mari d'une ministre du gouvernement irlandais actuel, de gauche donc. Tous les deux ont été en poste à Rome à quelques années de distance. Ensemble, ils parlent italien. Ce sont des quinquagénaires revenus de tout. « *Sur certains sujets, nous sommes très proches, Minerva et moi* », m'a confié Pat qui veut absolument me prendre pour confident de son aventure. « *Par exemple, nous pensons et ressentons exactement la même chose sur l'absurdité du métier que nous faisons.* »

Je supporte de moins en moins les gens qui crachent dans la soupe en public. C'est un sport que je pratique, bien sûr, mais j'essaye de le faire en solitaire.

Un agent de nos services dits « *spéciaux* » est venu passer la journée à la Conférence. Présenté comme « *stagiaire à la Direction d'Europe* », une couverture particulièrement bien trouvée pour un garçon dépassant la quarantaine... Il a longtemps bavardé avec Claudine qui connaît les membres des délégations de l'Est mille fois mieux que lui. L'après-midi, je l'ai observé de ma place. Traînant l'air de rien sur les pourtours de la salle, il mitraillait nos bancs avec une sorte d'étui à lunettes. « *J'ai repéré deux ou trois lascars intéressants* », a-t-il condescendu à me confier en prenant congé. Il n'en a pas raconté beaucoup plus à Claudine qu'il avait si allègrement pillée en débarquant. Celle-ci m'a confirmé que ces conférences étaient une aubaine pour les « *services* » de tous les pays européens. L'occasion notamment pour eux de remettre à jour leurs archives photographiques. Soucieux de ne pas contribuer à la démoralisation des troupes, je me suis abstenu de remarquer que notre grand-messe de Londres avait donc une finalité.

Déjeuner radicalement inutile des chefs de délégation dans une salle à manger anonyme du *Carlton*. Une initiative de Sir Alec. Plus mufle que jamais, celui-ci n'a pris la peine ni de nous écouter, ni de nous parler. D'une voix négligente, il s'est borné à enchaîner des propos mondains surannés. L'adjoint incroyablement loyal qu'est Ted ne se sentait pas cette fois l'envie de rattraper le coup comme il le fait en général. Au café, poussé par deux ou trois collègues, Heikki Tuominen a raconté de sa voix de stentor l'une des histoires politiquement peu correctes dont, en bon Finlandais, il possède des stocks inépuisables. La définition de Leonid

Brejnev[1] figurant dans un *Dictionnaire* chinois des années 2100 : « *Petit tyran soviétique de l'ère Ceausescu.* » Ni Grigori ni Milescu ne se sont franchement fendu la pipe.

Mercredi 18 octobre 1989

Carlos m'a expliqué pourquoi l'Helvète entretient avec Margaret Thatcher cette relation privilégiée qui nous agace tous tellement. Au début des années 80, Zürcher représentait son pays à Buenos Aires. À cause des Malouines[2], la situation ne cessait de se tendre entre la Grande-Bretagne et l'Argentine. Survint la rupture des relations diplomatiques entre les deux pays, et la Suisse se vit chargée de la défense des intérêts britanniques. Périodiquement, la Dame de fer interrogeait Zürcher au téléphone sur l'évolution de la situation locale. C'est elle, finalement, qui lui donna instruction de déclarer la guerre à l'Argentine. Ce qu'il fit en allant à l'ancienne, chapeau sombre et gant beurre frais, porter cette bonne nouvelle au ministre local des Affaires étrangères. Une pratique tombée en désuétude depuis la déclaration de la guerre à l'Allemagne par les Français et les Anglais en 1939. Et dont l'avenir reste incertain.

J'ai demandé au héros de cette histoire de me la raconter

[1] Leonid Brejnev (1906-1982), Premier secrétaire du parti communiste d'URSS (1964-1982). (*Note de l'Éditeur*)

[2] Situé à l'est de l'Argentine, l'archipel des Malouines, sous souveraineté britannique, mais revendiqué par Buenos Aires, fit l'objet en 1982 d'un conflit armé entre les deux pays. La pleine victoire anglaise ne fut pas sans incidence sur le succès électoral de la Dame de fer quelque temps plus tard. Plus de 1 000 hommes trouvèrent la mort dans cette affaire, chiffre que certains observateurs rapprochèrent de celui de la population locale, soit 1 800 habitants. (*Note de l'Éditeur*)

par le menu. Il s'est exécuté de bonne grâce, sans s'y donner un autre rôle que celui du garçon de courses. Qu'un Helvète ait été le dernier à transmettre une déclaration de guerre selon les règles ancestrales lui arrache tout au plus un léger sourire. Maggie, elle, prend les choses avec moins de détachement. Les trois fois où nous avons eu l'occasion de la croiser, elle s'est jetée au cou de Zürcher, joyeuse soudain de repenser à sa guerre des antipodes et à la mâle victoire qui l'a conclue. Elle en profite aussi, m'a dit celui-ci, pour se renseigner auprès de lui sur l'avancement des travaux de notre Conférence, sans savoir, bien sûr, que cet intégriste de la neutralité s'abstient soigneusement de tout contact personnel avec nos travaux.

D'une voix qu'il voulait dégagée, Werner Waldenberg m'a décrit la manifestation qui s'est déroulée hier à Leipzig à l'issue de l'office célébré à la cathédrale. Cent cinquante mille manifestants ! Une incroyable première ! Personne n'avait compris pourquoi les forces de l'ordre, très nombreuses pourtant, n'avaient pas réagi. La démission surprise de Honecker ce matin semble fournir la réponse. Egon Krenz, le nouveau secrétaire général du Parti, était en fait aux affaires depuis plusieurs jours. Et lui, il a choisi de jouer sinon le dialogue, du moins la montre.

Selon Werner, Krenz a surtout pour lui de ne pas avoir été mêlé, question d'âge, à la construction du Mur en 1961, le principal titre de gloire de Honecker et des camarades du Comité central qui auraient eu vocation à le remplacer... Avec son cortège de victimes abattues en tentant de le franchir, le Mur est une épine dans la chair de la RDA.

— Tu as déjà eu un contact personnel avec le Mur ? a interrogé Werner à brûle-pourpoint.

J'ai avoué que j'avais négligé depuis trente ans d'aller me présenter à cette huitième merveille du monde.

Il a reconnu qu'il n'avait jamais lui-même dégagé les loisirs nécessaires pour visiter de bout en bout ce chef-d'œuvre :

— Cent kilomètres de béton, ça demande un bout de temps ! En plus, ils ont aménagé partout des recoins et des chicanes, histoire de suivre exactement le tracé de la frontière... Ne pas abandonner le moindre pouce de terrain à l'impérialisme, c'était l'obsession de Honecker ! Il m'arrive pourtant de me retrouver à Berlin-Ouest, et je ne peux pas alors m'empêcher d'aller traîner dans les coins où, gamin, j'ai fait du vélo. Chaque fois, c'est le même choc quand je vois se profiler les barbelés et les blocs de pierre qui cisaillent net les rues familières. Je sens monter une envie de tuer qui ne m'est pas vraiment naturelle. Une envie de tuer pour de bon les soldats de plomb qui montent la garde le long de ces barrages, la mitraillette à la ceinture, le visage figé dans la haine, ou dans la trouille, ce qui n'est pas très différent. Mes compatriotes, quoi !

Il a repris, plus calme :

— Leipzig est le berceau de ma famille. J'ai encore quelques vieilles parentes « *de l'autre côté* » comme on dit chez nous. À tour de rôle, mes sœurs leur rendent visite. Moi, heureusement, le ministère préfère que je n'aille pas trop me promener par là-bas. Notre maison était située sur cette place Saint-Nicolas où a eu lieu hier la manifestation. Une bâtisse Renaissance. Elle a été détruite en 44, mais les communistes l'ont reconstruite à l'identique. Le patrimoine du peuple ! Je n'y ai jamais été enfant. Mon grand-père refusait de voir son fils depuis qu'il avait épousé une catholique.

« Avant de mourir à la fin des années 70, mon père a éprouvé le besoin de me décrire, pièce après pièce, l'intérieur où il avait passé son enfance. Tu y iras, hein ! m'a-t-il lancé vers la fin, d'une voix à peine audible. Jamais je n'ai eu la moindre envie de mettre les pieds dans la ville, mais un jour peut-être, qui sait ce que l'avenir nous réserve ?

Je n'ai pas eu le courage de tempérer son enthousiasme en lui rappelant les manifestations monstres à Pékin sur la place Tien An Men en mai dernier. Et le 4 juin, l'arrivée des tanks, les mille cinq cents morts officiels, les dizaines de milliers de militants fourrés au trou. Et la chape de plomb retombée sur le pays pour on ne sait combien d'années.

Ce massacre décidé de sang-froid se refuse à sortir de ma tête. Au point de me faire soudain bondir hors du lit à trois heures du matin pour rouvrir ce *Journal* et tenter une nouvelle fois de m'expliquer à moi-même les réactions que j'ai eues en ces circonstances.

Vingt-cinq ans plus tôt, en poste à Pékin, j'avais vécu en direct l'horreur de la Révolution culturelle, les humiliations publiques, les saccages tous azimuts, les déportations à l'autre bout du pays. Cette fois, à la suite de multiples conversations avec des collègues ou des amis chinois, et au vu des télégrammes de notre ambassade, il m'est apparu qu'on ne pouvait exclure que Pékin se conduise de façon civilisée. En ma qualité de Directeur d'Asie, j'ai exprimé ce point de vue à qui de droit avec la prudence de rigueur. Personne, du reste, par la suite ne m'a vraiment reproché d'avoir été démenti par les faits.

Ce qu'on ne m'a pas pardonné, c'est l'obstination que j'ai mise, après la boucherie, à affirmer qu'il fallait marquer le coup. J'ai soutenu qu'il ne serait pas convenable d'envoyer en urgence, comme le faisaient les Américains et la plupart des autres, un émissaire chargé d'expliquer à Pékin que les réactions officielles, réclamées par notre opinion publique, ne devaient pas avoir d'incidences sur nos relations bilatérales. Adoptée à mon instigation, cette position à contre-courant a provoqué la fureur des Chinois et suscité des critiques virulentes à mon endroit de la part des lobbies prochinois en France. En définitive, pour donner satisfaction à tout ce beau monde, notre approche a été infléchie... Mon remplacement à échéance relativement courte devenait inévitable. Pas dans n'importe quelles conditions pour autant ! M'expédier ainsi qu'on l'a fait à la première conférence venue continue à me paraître une manière immonde d'exécuter la sentence.

J'ai toujours autant de difficulté à saisir pourquoi j'ai pris en ces circonstances une position si peu conforme à l'éthique d'entomologiste qui a été la mienne depuis mon entrée au Département. À l'époque des faits – il n'y a que cinq mois ! – ma relation avec Setsuko restait suffisamment forte pour qu'elle ait suivi avec attention une histoire qui me touchait de si près. Avec sa belle obstination nipponne, elle se mit en tête de comprendre les raisons de mon indignation existentielle. Comme elle m'avait surpris un soir au salon, immobile dans un fauteuil, regardant fixement la fameuse photo du petit homme tout seul devant le canon d'un char, elle soutint que la puissance terrifiante de cette image m'avait sorti de mes gonds. Devant mon scepticisme, elle se rabattit sur d'autres explications, par exemple la honte rétroactive d'avoir assisté à la Révolution culturelle sans prendre la mesure des abominations commises. Comme je ne paraissais toujours pas convaincu, agacée, elle finit par incriminer l'âge, qui me rendait, mieux vaut tard que jamais, plus attentif à la tragédie et à la mort... Des mots que, naguère, elle n'aurait pas lancés avec une telle brutalité.

Quoi qu'il en soit, il serait dangereux de ne pas garder la plus grande circonspection face à ce qui est en train de se passer en ce moment en RDA. Une riposte violente des autorités est plus que possible, même si elle déplaît à Gorbatchev. Il faut se rappeler qu'en juin dernier, Berlin a été la première capitale socialiste à féliciter Pékin pour « *la répression courageuse menée contre les forces antisocialistes* ».

Jeudi 19 octobre 1989

La démission surprise de Honecker n'a pas l'air d'embarrasser outre mesure notre collègue Hans Muller, qui pourtant, m'a-t-on dit, était proche de lui.

— Son remplacement par un dirigeant du Parti nettement plus jeune, déclare-t-il à qui veut l'entendre, démontre la capacité de la République démocratique à renouveler ses équipes dirigeantes en temps utile.

Les commentaires amusés de la plupart d'entre nous sur l'élimination du patron de l'Allemagne de l'Est dix jours seulement après l'apothéose du quarantième anniversaire ont eu le don de mettre de mauvaise humeur la très yougoslave Zorica Belavic. À écouter son discours l'autre jour, je lui avais cru plus de distance et d'humour. Je me suis étonné de sa réaction. Elle m'a sèchement rétorqué :

— Quand j'étais en poste à Berlin, figurez-vous, j'ai dit pis que pendre de Honecker. Ça m'a même valu pas mal d'ennuis ! Mais je n'aime pas les charognards. D'autant qu'aucun de vous ne sait rien de son successeur, un opportuniste et un salopard de première. Et il me déplaît qu'on rie de Hans Muller. Qu'est-ce que vous auriez déclaré à sa place ? Tout est simple quand le hasard vous a fait naître sur les bords de la Seine !

Et elle m'a tourné le dos.

Carlos Lopez-Galdos. Le seul donc ici avec qui je me sente vraiment en phase. Il a cette qualité si rare dans notre métier de prendre au sérieux les choses sérieuses sans jamais se prendre au sérieux, lui.

Ainsi que nous en étions convenus, nous y allons dans les renvois d'ascenseurs bien sentis. « *Comme l'a si bien mis en évidence mon éminent collègue français* », a-t-il commencé. J'y ai été deux jours plus tard d'un : « *Je partage le point de vue excellemment exposé par le chef de la délégation espagnole.* »

Nous nous attachons aussi à faire accroire, par des entretiens soudains à des moments stratégiques, qu'il existe, à cette Conférence, comme dans d'autres peut-être après tout, un axe Paris-Madrid. Deux ou trois fois, Werner m'a questionné discrètement à ce propos. Il ne m'étonnerait pas qu'il ait évoqué le sujet dans un télégramme à Bonn : Paris ferait-il un enfant dans le dos à son allié privilégié ?

Dans cet esprit d'étroite collaboration, Carlos a placé dans son intervention du matin un proverbe roumain, ma foi pas mal inventé. Le visage de Milescu soudain s'est assombri. Que le Finlandais m'ait soutenu ne comptait guère tant le côté provocateur du personnage est connu. Carlos, ancien secrétaire général du ministère à Madrid, c'était beaucoup plus grave. Si par contagion, tous les délégués se mettaient en tête de lui envoyer des citations roumaines comme autant de tomates à la figure ?

Chaque vendredi en début d'après-midi, Carlos retourne chez lui. Une femme charmante, *Lourdes*, un prénom qui ne s'invente pas, et cinq enfants merveilleux. Une vie qui en vaut d'autres.

Setsuko m'a appelé. Un coup de fil gentil, qui m'a paru venir de très loin. Si j'allais venir à Paris ce week-end ? Non ! J'avais trop de travail en retard. « *Retard rime avec nénuphar* », a-t-elle remarqué dans l'un de ces rires cristallins qui naguère me faisaient fondre. Elle n'a pas insisté davantage, et, avant de raccrocher, m'a envoyé par téléphone l'un de ces baisers que, malgré tous mes efforts, elle s'acharne à appeler des bisous.

Vendredi 20 octobre 1989

Ce matin au téléphone, Huelmont, plus *Directeur du personnel* que jamais. Il ne m'a pas caché que ma candidature pour Tokyo avait du plomb dans l'aile. Méthodiquement l'homme de l'Élysée avançait ses pions. À la sortie du Conseil des ministres mercredi, le Président en aurait même parlé au Ministre, en des termes qui laissaient penser que la pression allait monter. Au cas où les choses tourneraient mal, il fallait bien reconnaître qu'il n'y aurait pas beaucoup de solutions de rechange pour moi. Buenos Aires, Belgrade, Canberra peut-être, pas de quoi pavoiser.

La ronde des capitales depuis notre entrée au Département... À force de vivre cette règle du jeu, le monopoly des ambassades me paraît aller de soi. Et pourtant ! Ankara, je prends ! Bangkok, non ! Si je te laisse Caracas, qu'est-ce que tu me donnes en échange ? Quarante ans durant à jouer à ça, cravaté et brillantiné ! Et plus tard à vivre les années qui restent dans la nostalgie de cette course à l'échalote.

Avec leurs coups tordus, ils ont fini par me casser mon envie : si je m'analyse froidement, en ce moment précis, je me fous comme de mon premier bicorne d'aller ou pas à Tokyo. Mais je ne leur ferai évidemment pas ce cadeau...

L'interprète qui traduit de l'anglais vers le français est une superbe créature blonde, la quarantaine épanouie, toute en courbes irrésistibles. Il se trouve qu'elle se prénomme Sybil, l'imperceptible détail en plus qui fait basculer. Parfaitement renseignée comme toujours, Claudine m'a expliqué que cette Canadienne, mâtinée de je ne sais quoi, faisait le désespoir de tous les délégués mâles qui s'intéressent d'un peu près aux femmes. Elle vit, en effet, avec l'autre des interprètes qui mérite le détour, Elsa, une Norvégienne plus blonde encore, presque aussi attirante, même si elle n'a pas la sensualité débordante de son amie. Interprètes de conférence reconnues dans le milieu, les deux femmes sillonnent le monde, portant haut le pavillon de leur amour.

— Le pire, a précisé Claudine, c'est qu'elles sont parfaitement à l'aise avec les hommes. En général, même, elles les préfèrent aux femmes pour parler ou aller dîner. Je les qualifierai volontiers d'allumeuses. Deux ou trois de nos collègues du Département, l'un surtout que vous connaissez bien et dont je ne vous donnerais pas le nom même sous la torture, ont passé des moments douloureux à tenter leur chance auprès de l'une ou l'autre.

Sybil et Elsa ont participé à quasiment toutes les rencontres Est-Ouest depuis Helsinki. Elles en connaissent par cœur les règles du jeu, et avec bon nombre des habitués elles ont noué des rapports particulièrement amicaux. Aussi, toujours selon Claudine, leur pouvoir d'influence sur le déroulement des conférences est-il loin d'être négligeable.

— Il faut absolument les avoir avec soi, a-t-elle conclu, pour la première fois devant moi si directive. Je vous les présenterai. Mais attention !

Elle a ébauché un petit sourire vaguement contrit, comme si soudain elle se sentait un peu honteuse de son audace.

J'ai promis de faire le nécessaire le moment venu, mais

tout seul comme un grand. Claudine, elle, en tout cas, est en train de le devenir, grande.

Au nom de l'éternelle amitié franco-soviétique, Grigori Akhmanov m'a invité à déjeuner dans un restaurant cher de la Cité. Taillé en isba, il a eu un certain mal à se déplier sur les chaises Regency de l'endroit. Plus fin qu'il n'y paraît, il n'en a pas moins mené la conversation avec le doigté d'un colonel de blindés. Après avoir fait semblant de s'intéresser « *aux progrès de notre importante Conférence* », il a très vite bifurqué vers la situation en RDA après la démission de Honecker. Il voulait savoir jusqu'à quel point les Français étaient prêts à faire capoter d'éventuels plans ouest-allemands de rapprochement avec la nouvelle équipe de la RDA. « *Les intérêts communs de nos deux pays* » et « *la traditionnelle amitié franco-russe* » revenaient comme une antienne dans sa bouche. Il lui a fallu du temps pour comprendre que je ne parlerais pas, et plus de temps encore pour se convaincre qu'au surplus je ne savais rien qui ne traîne dans tous les journaux.

Alors, le margaux aidant, il s'est mis à évoquer le bon vieux temps. Il devinait que les services spéciaux français m'avaient tout raconté sur sa carrière d'allumeur de pétards en Afrique, depuis la Guinée de Sékou Touré jusqu'aux ex-colonies portugaises. Pas besoin de se gêner, donc, et il est revenu sur ces événements, survenus dans un monde où tout était simple. À cette époque, m'a-t-il répété, visiblement convaincu, plusieurs fois l'Union soviétique a sauvé la paix dans cette partie de la planète.

La seule chose qui m'intéressait, moi, c'était de saisir jusqu'où lui et ses pareils étaient prêts à aller pour faire dérailler ce qui se passait en ce moment à Moscou et dans les pays frères. J'ai tout au plus perçu qu'il était dans un état de rage indescriptible, comme, j'imagine, la quasi-totalité de ses pareils. Mais les écoles du KGB lui ont appris à masquer parfaitement ce que je n'ose appeler ses états d'âme.

Pour rentrer au Centre, il m'a proposé une place dans sa voiture.

— Une *ZIL 116 Tantal*, m'a-t-il expliqué. Personne ne peut résister à un nom pareil !

J'ai résisté. Table commune peut-être, limousine ensemble, c'était franchement trop.

Samedi 21 octobre 1989

Quand je suis passé au Centre de conférences désert pour récupérer mon courrier, je suis tombé sur l'ineffable Coriolis, les bras chargés des publications de son organisation *Acteurs sans frontières*. Comme de juste, il s'est jeté sur moi. Son enthousiasme et sa loufoquerie sont si communicatifs que je l'ai laissé me débiter ses histoires devant la machine à café du hall. Dans les années 60, *coopérant* à notre ambassade à Addis-Abeba, il avait créé une troupe théâtrale et mis en scène un *Ruy Blas* qui avait fait un malheur. C'était l'un des espoirs de la diplomatie éthiopienne qui jouait Ruy Blas et l'ambassadrice de France la Reine. Devant tout le gratin de la capitale, ils s'étaient produits plusieurs fois, remportant un grand succès. Mais les deux acteurs principaux avaient pris leur rôle tellement au sérieux qu'ils s'étaient enfuis en Europe pour faire leur vie ensemble.

En bon entrepreneur de spectacles, Coriolis a enchaîné en proposant qu'en marge de la Conférence, les francophones montent une pièce. Il avait notamment songé à une œuvre méconnue de…

Je l'ai laissé à ses fantasmes.

Lettre nostalgique du vieux Rancourt, qui contrastait avec ses propos plutôt gaillards d'il y a une semaine. En substance : vous avez le privilège, vous et votre génération, de voir se défaire un monde que vos aînés ont haï sans être capables d'en modifier une seule des règles du jeu. Réjouissez-vous de la chance que vous avez, et merci d'y regarder à deux fois avant d'arrêter les principes de fonctionnement du monde suivant. Rappelez-vous : Yalta n'était pas une fatalité, et pourtant c'est devenu l'alpha et l'oméga pour cinquante ans.

Dimanche 22 octobre 1989

C'est au hasard d'un petit-déjeuner que nous nous sommes réconciliés, hier, la Yougoslave et moi. Nous avons au moins ce point commun de nous lever tôt. Quand elle m'a aperçu qui pénétrait dans l'immense salle à manger encore déserte à cette heure, elle m'a fait signe de venir m'installer à sa table.

— J'espère que vous avez oublié mes réactions de l'autre jour, a-t-elle entamé. Un peu excessives. Le plus incroyable, c'est que je les déteste infiniment plus que vous, tous ces petits chefs incapables et tyranniques. Parce que je les connais bien mieux. Mais c'est comme quand on appartient à une famille qu'on hait : les étrangers n'ont qu'à la boucler ! D'autant que cette Conférence rend fou. Une monstrueuse parodie, et nous sommes payés pour rester à notre banc en faisant semblant de nous intéresser.

Moyennant quoi, le week-end, on n'a même plus envie d'aller se promener.

Zorica Belavic a eu un sourire si accablé que je lui ai proposé de passer l'après-midi à découvrir un bout de Londres ensemble. Nous nous sommes retrouvés à la cafétéria du British Museum. Le soir, nous nous sommes offert en prime une comédie musicale des années 30. Au pigeonnier, un escogriffe nous faisait de grands signes. Nous avons fini par reconnaître le bon Coriolis. À l'entracte, il nous a présenté une très jeune fille rousse, Mary à moins que ce ne fût Jane, qui semblait échappée d'un roman des sœurs Brontë. « *Une camarade* », a-t-il dit fièrement, et le mot a fait sourire Zorica.

— Elle joue dans un théâtre de l'East End, l'*Old Nick*. Beckett, Shakespeare et les autres. Un endroit génial comme il n'y en a que dans cette ville où existe une formidable complicité entre les acteurs et le public. Je vous y emmènerai un soir, si vous voulez. Vous ne serez pas déçus !

Il nous a proposé d'aller souper ensemble après le spectacle. Nous avons décliné sans trop y mettre de formes.

Durant ces quelques heures, nous nous sommes résumé nos vies à grands traits. Zorica est aussi engagée dans la marche du monde que je suis, moi, installé dans ma logique d'ethnographe. Assez normal puisqu'elle a fait ses tout premiers pas terrée dans les montagnes serbes avec ses parents pour échapper aux troupes nazies, tandis qu'à cet âge, mon terrain de jeu à moi, c'était le grenier de la vieille demeure familiale avec ses armures et ses kimonos délavés.

Le dimanche, nous avons continué notre exploration. Bateau-mouche et le reste. Oui, Londres n'est pas tout à fait l'Enfer... De tout le week-end, nous n'avons pas parlé une fois de ce qui se passe en ce moment en Europe. Nous avons continué à nous raconter l'un l'autre comme si nous étions de vieux amis, qui s'étaient perdus de vue depuis longtemps. Dans son discours inaugural, j'avais aimé sa manière de manier évidences oubliées et provocations. Et il est vrai qu'elle possède un talent singulier pour passer sans transition du registre grave à celui de la dérision. Un procédé que j'emploie à mes heures, mais sans y mettre la virulence à laquelle elle se hisse très vite. Car, si nous avons l'un comme l'autre quelques convictions simples sur la morale publique, contrairement à moi, elle a, elle, diverses certitudes sur ce qui conviendrait à l'humanité.

Grande, bien en chair, Zorica a ce qu'on appelle du chien. Calmes, apaisants même, ses beaux yeux vert émeraude se figent par moments, fixant son interlocuteur avec une intensité qui met mal à l'aise. Selon les jours, elle laisse tomber son abondante chevelure châtain, tirant sur le roux, ou bien la ramène sur le sommet du crâne pour en faire une sorte de chignon agressivement démodé. « *Je ne sais plus trop si j'aime encore les hommes* », a-t-elle laissé tomber à l'heure du thé. Pas du tout comme une invite : comme une question qu'elle avait oublié depuis longtemps de se poser à elle-même et qui tout à coup l'intriguait.

Je me suis gardé de l'aider à trouver une réponse, ce que d'ailleurs elle ne me demandait aucunement. Après deux jours à courir en tous sens, nous étions si vannés en rentrant au *Carlton* que nous avons décidé de remonter droit dans nos chambres respectives.

Au fil du week-end, insidieusement, le sourire et l'odeur musquée de Setsuko se sont insinués en moi. La minute qu'on demande au bourreau. Bref, je commence à songer un peu trop sérieusement à des vacances de la Toussaint parisiennes.

Lundi 23 octobre 1989

Au réveil, l'idée de repasser une nouvelle journée enfermé dans une salle à écouter les mêmes discours m'a donné la nausée. Le beau paquebot tout blanc est en train de prendre figure de galère ! Mon masochisme est évidemment de rester vissé à ma chaise alors que tant de collègues abandonnent la place à leur adjoint qui à son tour souvent... Incroyable que je ne parvienne pas à afficher le détachement qu'il faut alors même que ces histoires me concernent de si loin.

Werner et son homologue est-allemand s'arrangent toujours pour ne pas se voir quand ils s'installent à leurs places quasiment côte à côte. Difficile d'imaginer les rapports exacts existant entre les représentants des deux Allemagnes dans un même pays. Pratiquement inexistants, m'ont toujours assuré les collègues ouest-allemands, et Werner me l'a répété dans ces termes. Devant moi, il se fait même un plaisir de nommer, non sans humour, ceux d'en face « *nos boches à nous* ».

J'ai toujours eu du mal, malgré tout, à croire que des hommes parlant la même langue, et qui, en dépit de tout, partagent des traditions et des mœurs si proches, puissent s'ignorer absolument quand les circonstances les font se retrouver à l'étranger. « *Imagine qu'Hitler ait gagné la guerre*, m'avait jadis rétorqué un collègue allemand que ma curiosité agaçait. *Une hypothèse absurde, bien sûr, et pas très réjouissante. Mais pose-toi la question : qu'est-ce que vous auriez eu à vous raconter, toi l'ambassadeur de la France issue de la zone libre et ton collègue de l'Île-de-France nazie ?* »

— Ce n'est pas parce que votre voisin repeint son appartement que vous êtes obligé de faire pareil !

Claudine m'a rapporté cette phrase de l'Est-Allemand, prié de réagir face aux manifestants de Leipzig et maintenant de Berlin qui réclament l'application de la *perestroïka* dans leur pays.

— Que quelqu'un de brillant comme Hans Muller en arrive à sortir des idioties pareilles, a-t-elle commenté, témoigne du désarroi des autorités. Car ce Muller est tout ce qu'on veut, mais pas l'une de ces *Betonköpfe*, ainsi qu'on dit là-bas, ces *têtes de béton* qu'on trouve à la pelle dans le comité central du Parti à Berlin.

Sans doute pour me remercier de notre week-end à courir à travers Londres, Zorica, à son tour, y a été en séance plénière de la citation d'un « *poète roumain mort dans les prisons fascistes* », dont elle a dit, pour énerver encore plus l'énorme Milescu, qu'elle jugeait plus prudent de taire le nom. Pour la première fois, on a vu une sorte de rictus tordre la bouche de l'intéressé.

Infatigable derrière la pancarte du Saint-Siège, Mgr Macchioli n'a pas arrêté d'écrire depuis l'ouverture de notre session. De temps à autre, il apporte quelque gros ouvrage de théologie qu'il a pris soin de recouvrir de papier kraft. Il le compulse discrètement tandis que nous nous répétons pour la millième fois nos arguments respectifs sur les visas des journalistes ou sur la télévision sans frontières. Plusieurs fois, j'ai surpris Kratowski, l'homme de Solidarnosc, en train de soupeser de loin, un sourire heureux aux lèvres, la masse des feuillets de *L'Économie de la Rédemption* qui s'accumulent devant le bon prélat.

Tandis qu'au bar je parlais avec l'Allemand, de loin Pat Callaghan m'a décoché un sourire affectueux en attirant d'un imperceptible signe de tête mon attention sur les fesses de sa Minerva. Elle était juchée sur un tabouret à ses côtés, et à son habitude, elle ne faisait pas dans la dentelle. Moulée dans un pantalon ajusté au millimètre, cette partie d'elle-même avait, en effet, de quoi retenir non seulement le ciseau d'un sculpteur, mais l'œil de tout voyeur bien né. Du reste, Werner, qui avait perçu notre manège, a murmuré, suffisamment ému pour s'exprimer dans sa propre langue :

— Vénus Callipyge !

On dit mon collègue de Bonn excellent connaisseur en ces choses, de surcroît fort amoureux de la Grèce où il a été ambassadeur et possède une maison.

Le texte déposé par les Polonais sur la délivrance accélérée des visas aux journalistes avance. Hongrois et Russes ont, notamment, confirmé leur accord sur l'article qui prévoit une procédure spéciale en cas d'urgence.

Leurs petits camarades bulgares et autres sont, bien entendu, toujours aussi hostiles à un tel assouplissement. Tant mieux car, de notre côté, le dossier fait du sur-place. Après l'altercation un peu vive que j'ai eue avec un imbécile de directeur du ministère de l'Intérieur, j'ai sollicité un arbitrage, « *au niveau de Matignon* » ainsi que jargonnent les bureaux. Apparemment, ce n'est pas demain que notre position va bouger.

Et si des espions se déguisaient en journalistes, et si et si, répète-t-on inlassablement *place Beauvau*.

— Et si l'on passait à côté d'une occasion historique

d'ouvrir quelques hublots dans le Rideau de fer ? ai-je soutenu avec une constance digne d'éloge.

Pour toute réponse, on m'a jeté à la figure ce qu'ils appellent entre eux ma naïveté. J'imagine que les « *spécialistes de l'Europe* » au Département doivent abonder dans le sens de leurs petits camarades de l'Intérieur.

J'ai raconté à mon ami Carlos que j'avais visité Londres le week-end précédent en compagnie de Zorica Belavic. Je savais qu'il l'avait connue quand ils étaient numéro 3 de leurs délégations respectives à New York. À l'époque, m'a-t-il assuré, elle avait déjà la langue bien pendue. C'était une dure, toujours à monter des coups avec les Algériens et les Indiens pour le compte des non-alignés. Et puis, une année, il l'avait retrouvée complètement désabusée. Pas bien longtemps après la mort de Tito. Elle semblait avoir pris conscience soudain que son pays, loin de s'engager dans des réformes positives, était en train de s'enfoncer dans d'inextricables problèmes internes.

Mardi 24 octobre 1989

Comme tous les mardis matin, j'ai trouvé dans mon courrier la grosse enveloppe adressée par Milescu à tous les chefs de délégation. Il s'agit du texte in extenso des discours prononcés par Ceausescu au cours de la semaine précédente, dans une excellente traduction française. L'appui de la Roumanie à la lutte magnifique des troupes angolaises, ou bien l'état d'avancement du projet visant à raser tous les villages du pays pour les remplacer par des villes fournissant l'eau et le gaz à tous les étages. Un carton accompagne chaque fois l'envoi : *Avec les compliments du*

Chef de la Délégation de la République Socialiste de Roumanie, et juste au-dessous des pattes de mouche dont il est impossible de savoir si elles sont des sécrétions de l'intéressé ou de l'un de ses sbires.

Son plumet déplumé au vent, Leroux parcourt gravement cette masse de papiers absurdes.

— On ne sait jamais, soutient-il. Il se cache parfois des informations intéressantes dans ces discours filandreux.

Depuis longtemps, je ne réagis plus à ses initiatives intempestives. Ni du reste aux autres.

Au moment où l'amendement que le Département m'a demandé de présenter sur une obscure question de normes techniques de télévision allait passer à la trappe sous les coups conjugués des pays de l'Est et de deux ou trois de nos vieux amis soucieux des intérêts de leurs industriels, Eva Bengtson est venue à mon secours. La cinquantaine souriante, plus Suédoise que nature, je l'avais déjà vue une fois ou deux désembourber une discussion qui tournait au vinaigre. Dans le cas précis, elle a su trouver les arguments nouveaux qui ont finalement permis d'introduire notre paragraphe. Dont acte.

Cette Eva Bengtson m'avait plutôt agacé jusqu'ici à cause de la manie qu'elle a de sortir, pour un oui ou pour un non, ses couplets sur le non-alignement de son pays et sa neutralité bi-séculaire. Mais il faut bien faire avec ce qu'on a. Nous en sommes tous là, à essayer d'exploiter au mieux le modeste fonds de commerce que nous ont légué nos aïeux. De ce point de vue, nous faisons en général plus fort que les Suédois. Par exemple, lorsque nous exhibons notre casuistique sophistiquée sur les modalités de la participation française à l'OTAN.

Du haut de sa chaire de Directeur d'Europe, Bourrelier continue à me canarder. Il est vrai que nous nous haïssons depuis notre entrée au Département. Je n'aime pas ses certitudes, et il ne supporte pas ce qu'il appelle mon amateurisme. À la réunion matinale chez le Secrétaire général, me disent les petits camarades présents, mes télégrammes de compte rendu sont invariablement la cible de sa part de remarques déplaisantes. Quelles que soient mes qualités bien connues, je fais, selon lui, une lecture un peu hâtive des propos de mes interlocuteurs. Normal, il me manque une suffisante familiarité avec leur inusable dialectique, pire, je suis intoxiqué par les articles de tous ces journalistes qui portraiturent Gorbatchev en cheval de Troie de la démocratie à l'américaine en Soviétie. Pour résumer : je ferais mieux de la boucler.

Que précisément je n'aie pas envie de la boucler m'étonne. Certes, pour contrarier Bourrelier, je suis prêt à beaucoup. Il me faut cependant reconnaître que ce qui se passe sous mes yeux commence à m'intéresser. J'allais écrire : à me concerner… Tout de suite les grands mots ! Cette manière qu'a l'Histoire, sans crier gare, de déborder du lit que les hommes lui avaient assigné pour un siècle ou deux a de quoi faire perdre sa sérénité à l'observateur le plus froid. Quelle qu'en soit finalement l'issue, car les petits copains des Grigori et des Hans Muller doivent bien avoir encore quelques tours dans leurs sacs.

Harry Marx lui-même en est venu à se demander s'il ne se passait pas quelque chose au pays des Soviets. Il assiste maintenant à nos réunions, cherchant à comprendre ce qui se trame sur le bizarre continent où le hasard l'a parachuté. *« C'est sérieux, vous croyez ? »* interroge-t-il. Ce matin, il m'a dit, préoccupé :

— Je ne suis pas sûr qu'à Washington, ils aient vraiment pris la mesure de ce qui se passe ici.

J'allais oublier de noter qu'un incident a dévié un instant la marche de notre beau navire. Suite à je ne sais quel court-circuit dans les caves du bâtiment, la présidence a décidé de procéder à un exercice d'évacuation. Arguant de sa qualité de Secrétaire général de l'organisation, Marcus Schuster a demandé à en prendre le commandement, ce que Sir Alec, grand seigneur, a fini par lui accorder.

Observer tous les collègues se dressant de leur siège à un bref coup de sirène et se hâtant vers les sorties de secours, chacun à son rythme biologique, ne manquait pas de drôlerie. Certains n'avaient pas résisté à la tentation d'emporter toutes leurs affaires alors même qu'un membre de chaque délégation était censé rester dans la salle. Grimpé sur un escabeau, la mèche au vent, Schuster donnait ses ordres dans un porte-voix. Tout en suivant le train de son pas lourd, Heikki Tuominen répétait, la mine réjouie, que c'était un coup de Grigori pour torpiller la Conférence.

Dehors, il faisait un froid de tous les diables. Un bon moment, nous avons attendu dans le maigre jardin qui flanque l'édifice. Claquant des dents dans nos pardessus trop élégants, nous avons mis en commun les souvenirs des catastrophes diverses auxquelles les uns et les autres nous avions échappé. De quoi faire un sacré grabuge si elles avaient toutes eu lieu au même moment. Un peu à l'écart, Mgr Macchioli était plongé dans un petit bouquin qui n'avait pas trop l'air d'un bréviaire. Indifférentes comme lui à toute cette agitation, Sybil et Elsa, emmitouflées dans des fourrures argentées qu'elles ont dû rapporter de quelque conférence boréale, se parlaient à mi-voix, suffisamment entre elles pour tenir à distance la cour habituelle de leurs admirateurs.

Toujours armé de son porte-voix, Schuster a enfin fait son apparition sur le perron. L'air grave, il a annoncé que l'opération était terminée. « *Et même parfaitement bien terminée* », a renchéri Sir Alec qui lui avait arraché le porte-voix. Plus poliment que d'habitude, il nous a invités à regagner nos places.

Quand j'ai appelé Setsuko pour que nous puissions nous retrouver à Paris durant les vacances de la Toussaint, elle m'a annoncé que, devant mon silence, elle s'était organisée. Elle allait passer une semaine en Grèce. « *Une occasion de découvrir enfin ce pays, avec des amis qui ont une maison sur une île. Une maison géniale dans un coin formidable.* » J'adore sa manière si parisienne maintenant de prononcer le mot *formidable.*

Je n'ai pas épilogué, ni même prononcé ce mot *nénuphar* que nous nous sommes beaucoup jeté au visage ces derniers temps. C'est plus simple comme ça ! Contre la dérive des continents, comme elle m'a dit un jour, on ne peut rien.

Pas question d'annuler mon billet pour Paris. La Conférence va suspendre ses travaux pour une semaine. Setsuko ou pas, il est grand temps que je retrouve mes marques. Et ce bon vieux *Sarrasin,* où je suis toujours surpris de constater que traînent encore pas mal de survivants des jours anciens.

Mercredi 25 octobre 1989

Rêve pitoyable. Notre salle de conférences avait été aménagée en hippodrome, hérissé de haies vives et de bottes de foin. Chaque délégué portait un dossard sur son smoking. Une paire de jumelles autour du cou, Sir Alec faisait avancer ou reculer chacun à grands coups de sifflet, sans que je parvienne à comprendre la règle du jeu. Depuis le départ, Grigori et Heikki tenaient la corde. Leurs bouches étaient distendues par la haine qu'ils se portaient. Je me traînais, moi, en queue de peloton juste derrière Pat Callaghan et sa Minerva. Malgré mes tentatives désespérées, je n'arrivais pas à combler mon retard. Soudain j'ai pris conscience que je lorgnais l'arrière-train de Minerva. Un ultime effort, et ma main a pu se poser sur cette chair rebondie qui m'excitait comme un malade. Pat alors s'est retourné, et en découvrant mon geste, il m'a lancé un regard empli d'une détresse si poignante que je me suis réveillé en sueur.

Didier Pierrelatte, le « *fantôme de la délégation* » comme l'appelle Claudine, s'est décidé enfin à faire une apparition. Secrétaire général du syndicat patronal de la presse parisienne, tout le monde à Paris m'a affirmé qu'il jouait un rôle aussi discret que décisif. Il a ses entrées à la Commission de Bruxelles et fréquente beaucoup ses homologues des autres pays occidentaux. Intelligent, sûr de lui, avenant, il m'a rendu à sa descente d'avion une brève visite, aussi courtoise qu'inutile. Par ses informateurs, il savait très exactement où en étaient nos travaux. Il s'est félicité qu'en prenant les communistes au piège de leur *perestroïka*, nous obtenions des progrès sur les visas et les conditions de travail des journalistes à l'Est. « *Tout ça, hélas, ne va pas très loin* », a-t-il conclu.

Kugelman, notre « *expert presse écrite* », m'a expliqué que Pierrelatte et ses confrères européens avaient profité de la Conférence pour se rencontrer. Tout ce petit monde avait dîné dans un club très fermé de Mayfair, invité par les patrons des journaux britanniques. Comme de juste, Sir Alec s'était débrouillé pour faire une apparition en lever de rideau, et il avait glissé avec sa suffisance habituelle les quelques phrases qui permettraient à ses interlocuteurs de jouer les importants à leur retour chez eux.

— Ils suivent avec attention tout ce qui bouge, a commenté Kugelman qui visiblement les déteste, y compris les conférences foireuses comme la nôtre. Et ils chassent en bande, comme tous les carnassiers qui se respectent. On ne sait jamais ce qui peut arriver.

Milescu a récidivé : de derrière sa pancarte *ROMANIA*, il s'est lancé dans une diatribe contre les turpitudes des médias occidentaux téléguidés par leurs gouvernements. Dès la reprise de séance de l'après-midi, il a eu droit, de ma part, à son proverbe transylvanien : « *Tu peux tuer le messager de la vérité, pas l'écho de ses pas !* » Le salaud n'a même pas pris note de cette phrase qui mérite pourtant sûrement d'être déchiffrée.

Toujours soucieux d'égayer la grisaille ambiante, nous avons convenu avec Carlos de parler mandarin de loin en loin dans les locaux de la Conférence. Une initiative, comme nous l'imaginions, qui fait jaser.

— Il faut que je donne un coup de brosse à mon chinois, explique Carlos à ceux qui s'étonnent. Je n'ai malheureusement trouvé que l'ambassadeur français comme partenaire, avec son horrible accent de Shanghai. Si vous connaissez quelqu'un d'autre...

Sur ce point il a raison. J'ai eu très peu d'occasions de parler depuis mon retour de Chine voici dix ans, et je dois me donner un mal de chien pour donner la réplique à un Carlos parfaitement à l'aise.

— Sitôt que notre Conférence veut bien fermer son clapet, précise-t-il dans le français burlesque qu'il prend plaisir à inventer, je dois bondir représenter la couronne hispanique à Pékin.

En réalité, il a peu d'espoir d'être nommé là-bas. Pour d'obscures raisons politiciennes, son ministre ne le supporte pas. Compte tenu de son âge, c'est sa dernière chance. Comme Tokyo pour moi.

Ridicule accrochage avec le petit Leroux, qui prétendait que je n'avais pas le droit d'accepter la nouvelle rédaction de l'article je ne sais combien du texte en discussion.

— Depuis les tout débuts de la CSCE, m'a-t-il déclaré fièrement, nous nous en sommes tenus mordicus à nos instructions. D'où la parfaite continuité de notre ligne de conduite. Peu de pays peuvent en dire autant !

Il a eu en récompense une giclée d'insultes de ma part. Un clown. Pas même triste. Et Claudine, cette fois-ci, n'est pas venue à son secours.

Matin et soir, séances d'une indicible vacuité. L'occasion pour qui n'a pas le sommeil facile en public de se livrer au petit jeu des parentés insoupçonnées. Celle, par exemple, des potomanes pathologiques : Callaghan, Macchioli, Milescu... qui descendent leurs bouteilles d'eau minérale comme à la foire. Ou bien encore la confrérie des bâilleurs irrémédiables : Werner, Sir Alec, Milescu... Mieux vaut ne pas parler de la grande famille de ceux qui ne sont jamais las d'explorer les multiples orifices de leur visage : là, trop de noms se bousculent au portillon, dont, bien sûr, celui de Milescu. Milescu, « *lui, toujours lui sous tous les regards que je porte* [1] »... Ces fraternités, qui transcendent les frontières et les clivages politiques, nourrissent opportunément le dossier, un peu mince parfois, de l'unité de l'espèce.

[1] Citation approximative de la *Lucrèce Borgia* de Victor Hugo. (*Note de l'Éditeur*)

À la réception offerte par le maire de Londres, notre verre de mauvais vin portugais à la main, pour la première fois avec la Yougoslave nous avons parlé de la situation en Europe.

Selon Zorica Belavic, rien n'est vraiment joué. Ce qui s'est passé en Pologne et en Hongrie ces derniers mois a fait perdre leurs boussoles aux dirigeants de l'Est, habitués qu'ils étaient à l'intervention immédiate des blindés soviétiques en cas de crise intérieure. Ils savent désormais que, tant que Gorbatchev sera aux commandes, le Grand Frère fera tout pour ne pas se mêler de leurs affaires. Ils ont pris aussi la mesure du malaise qui prévaut dans de vastes secteurs de leur population. Reste qu'ils disposent d'atouts formidables : une police omniprésente, des forces armées suréquipées, une classe ouvrière à qui l'on a seriné qu'elle a des acquis à protéger. On ne peut donc pas écarter l'hypothèse d'une reprise en main brutale, en Allemagne, en Tchécoslovaquie, ailleurs peut-être. À la chinoise ! À condition que les dirigeants croient encore suffisamment à leur légitimité. Sur ce point, bien malin qui peut se prononcer.

À deux ou trois reprises, comme pour casser une conversation qui risquait de pécher par esprit de sérieux, elle a sorti des phrases plutôt bien trouvées. Par exemple, soudain véhémente, elle a affirmé qu'il fallait être un anticommuniste pathologique pour nier les progrès objectifs de la RDA depuis 1960 : à cette époque, les gens qui passaient à l'Ouest « *votaient avec leurs pieds* » ; aujourd'hui, les photos publiées par la presse du monde entier l'attestent, ils le font au volant de leur petite *Trabant*.

— Ce n'est pas drôle avec vous, a-t-elle remarqué, vous vous bornez à un petit rire bien élevé. Je trouve plus amicale l'attitude de notre collègue roumain qui acquiesce enthousiaste, un peu déçu tout de même de ne pas avoir songé tout seul à cet argument décisif.

Nous parlions ainsi depuis un bon moment quand Hans Muller, plus apparatchik que jamais, me l'a quasiment enlevée, comme furieux de son tête-à-tête avec moi. Il reste beaucoup à faire pour tourner la page du conflit Est-Ouest…

Depuis mon retour de Paris, dix fois j'ai essayé de me remettre à mon pensum japonais. Des efforts méritoires et vains. Indolence, démotivation et le reste. S'ajoute maintenant, il me faut le reconnaître, une certaine mobilisation personnelle autour de ce qui se déroule ici, autant dire rien, mais avec des êtres de chair.

Jeudi 26 octobre 1989

Un sérieux problème de présidence entre Sir Alec et Ted Garrisson. Naturellement, Ted est obligé de céder le fauteuil quand l'autre débarque à l'impromptu. Dans le cas précis, le moment était particulièrement mal choisi : Ted était en train de déminer un incident qui opposait une nouvelle fois Grecs et Turcs, toujours soucieux d'en découdre et de compter leurs amis. Sir Alec a attendu que l'autre veuille bien se pousser. Ce moment ne venant pas, il a fini par repartir sans cacher sa colère.

— S'il chassait le renard, m'a dit Ted comme je l'assurais de mon amicale solidarité, je m'embusquerais derrière une haie comme un valet congédié, et je lui expédierais une décharge de chevrotines dans le bas-ventre.

Par l'entremise de Claudine, j'ai invité à déjeuner les deux interprètes. Sybil et Elsa aiment à se dire « *vétéranes des rencontres Est-Ouest* ». C'est à la Conférence d'Helsinki qu'elles se sont connues. « *Nous avions tout juste vingt-cinq ans.* » Elles sont les témoins privilégiés des quinze années de « *dialogue de sourds* » entre les blocs qui se sont écoulées depuis ce moment.

— L'expression « *dialogue de sourds* » vous paraît banale, a fait remarquer Sybil, mais pour nous qui avons traduit des centaines de milliers de phrases du *dialogue* en question, il y a matière à écrire un traité sur le sujet.

Elles se sont regardées, Elsa et elle, et ont éclaté de rire, plus radieuses que jamais. Après toutes les mises en garde de Claudine, tout au long du repas j'ai fait en sorte de ne m'intéresser qu'à leurs âmes. Je n'ai pu me défendre pourtant de scruter avec attention les pommettes saillantes d'Elsa, Norvégienne pur sucre.

— Des influences lapones sûrement, a-t-elle expliqué quand je n'ai plus résisté au besoin de l'interroger. Là-haut aussi, nous nous sommes beaucoup civilisés les uns les autres.

En mettant toutes les circonlocutions possibles, j'ai entrepris l'éloge des visages asiates.

— L'ambassadeur connaît bien le dossier, n'a pu s'empêcher de lancer Claudine avant de piquer un fard.

Tous les deux ou trois jours, je trouve le moyen de faire le point sur l'évolution de la Conférence avec le Secrétaire général. Sous ses dehors mondains et désabusés, Schuster sait tout des intentions des uns et des autres, et son jugement est très fiable quant aux chances d'aboutissement des projets mis sur la table. Il est le seul capable de désamorcer une situation qui menace de dégénérer ou de convaincre une délégation de retirer un projet de rédaction trop conflictuel. C'est « *un homme irremplaçable* », ainsi qu'on le répète à l'envi... On lui sait gré que chacune des conférences de la CSCE accouche des quelques modestes souris qui font que les délégations se séparent sinon satisfaites, du moins pas fâchées à jamais.

Né à Budapest, de nationalité autrichienne, il occupe ses fonctions actuelles depuis onze ans, et on parle déjà pour lui d'un quatrième mandat bien qu'il ait atteint l'âge de la retraite. Les gens de l'Est, m'a expliqué Claudine, pensent que c'est un sous-marin américain, parce qu'il a étudié à Columbia. Ce qui n'empêche pas beaucoup d'Occidentaux de le suspecter d'avoir des liens avec les « *services* » hongrois ou tchèques, sans disposer à ma connaissance de la moindre preuve en ce sens. En réalité, personne n'en fait un problème. Schuster a le mérite rare de maintenir à flot une embarcation percée de partout, qui se trouve être utile à tous les États membres. Face à leurs opinions respectives, la CSCE, même s'il n'en sort rien, est, en effet, la preuve vivante que tout continue à être mis en œuvre pour tenter de surmonter la coupure du continent.

Le gâtisme aidant, avec Carlos nous en sommes venus en dînant ce soir à nous remémorer nos communes frasques à l'époque de Langues O. Fils d'un notable franquiste plus vrai que nature, élevé chez les Jésuites de Saragosse, il était à son arrivée à Paris tenaillé par une soif de transgression dont il lui reste quelque chose malgré trente années d'une carrière particulièrement brillante.

Une fois de plus, nous nous sommes raconté, vieux disques rayés, comment d'une cabine téléphonique du boulevard Saint-Germain, il avait appelé l'ambassadeur d'Espagne à Paris en se faisant passer pour Pablo Picasso. Avec la pointe d'accent andalou qu'il fallait, il avait marqué sa satisfaction devant les progrès, modestes mais méritoires, accomplis par le gouvernement franquiste en matière de droits de l'homme. Il considérait comme remplies les conditions qu'il avait mises pour le retour de *Guernica* au musée du Prado, et souhaitait rencontrer au plus vite son interlocuteur pour arrêter avec lui les détails pratiques de l'opération. L'écouteur à l'oreille, je ne perdais rien des états d'âme de l'intéressé. La rage devant l'audace de ce communiste qu'il aurait garrotté de ses mains, l'angoisse de faire un faux pas en accueillant ou au contraire en repoussant cette main tendue... L'histoire dura quelques jours avant que Carlos, toujours au téléphone, ne la conclue par une bordée d'injures assénée au malheureux ambassadeur, un certain Moralez de Garcia connu pour être l'un des intimes de Franco.

— Quand je suis entré au ministère sept ou huit ans plus tard, s'est souvenu Carlos, ce salaud de Moralez de Garcia en était devenu le secrétaire général. Il a accueilli notre promotion dans son immense bureau du Palais de Santa Cruz. C'est lui qui a eu droit à la première de mes poignées de main que je peux en conscience qualifier de diplomatique.

« Diplomatique ! C'est le mot qui convient, a-t-il répété en partant d'un de ces éclats de rire haut perchés dont il a le secret.

Carlos ne m'avait jamais fourni ce détail, pas plus qu'il ne m'avait dit que, curieusement, Moralez de Garcia était mort en 1981, le jour même où, expédiée de New York, *Guernica* débarquait enfin à l'aéroport de Madrid.

— Une drôle de coïncidence, non ? Pour moi, qui n'avais cessé de vivre depuis l'enfance avec le bruit des canonnades dans les oreilles et l'image des cadavres le long des routes, elle a sifflé la fin de la guerre civile.

Il s'est arrêté un instant, songeur :

— Quarante ans m'ont été nécessaires pour passer ces souvenirs de gamin par profits et pertes. Tu imagines le temps qu'il leur faudra, aux Polonais ou aux Roumains, si un jour ils recouvraient la liberté...

Vers le milieu de l'après-midi, la déléguée hellène a bien voulu rejoindre notre Conférence. C'est Claudine qui a attiré mon attention sur son arrivée. Toute en déhanchements, elle s'est dirigée sans se presser vers les bancs de son pays. *Vénus Callipyge*, Werner avait raison... Les yeux d'une grande partie des délégués, mâles et femelles, accompagnaient chacune des ondulations de son corps. Par habitude, j'ai cherché à inventer un proverbe, roumain ou autre, qui résumerait la situation. C'est alors que, par une autre porte, Pat a fait son entrée, l'air dégagé, sa cravate vert trèfle au vent. Mon attention a été accaparée par le joli sourire qui d'un coup a illuminé le visage de Claudine à cinquante centimètres de moi.

Dans le courrier, le tract d'une agence de tourisme de Picadilly qui propose une journée « *Dans les pas de Karl Marx à Londres* ». Quarante livres sterling, rafraîchissements compris dans le pub où l'intéressé « *aimait à rencontrer ses correspondants* ». J'ai glissé le dépliant dans une enveloppe anonyme à l'intention de Milescu qui en a sûrement plus besoin que moi.

Demain dernier jour pour rédiger le télégramme de synthèse que le Département attend de nous, pas pour savoir ce que nous fabriquons, bien sûr : pour le bon ordre de ses dossiers. Moi qui en règle générale ne crache pas sur ce genre d'exercice, j'ai attendu l'ultime moment pour m'y mettre. Par manque radical d'inspiration. Je ne vois pas quoi dire du non-événement dont nous sommes ici les complaisants figurants. Que la fameuse boule de neige qui roule depuis Helsinki a des chances à Londres de continuer à grossir, au rythme dérisoire que nous savons ? Que ce qui se passe au pays des Soviets se fait effectivement sentir ici, en échos assourdis et contradictoires ? Que les récurrentes manifestations de rues en RDA créent une certaine inquiétude chez nos collègues de l'Est ? Qu'heureusement la Roumanie est toujours la Roumanie. Et Maggie toujours Maggie, une information qui intéressera certainement *dear Michel.*

Vendredi 27 octobre 1989

Le *Polonais*, comme j'ai entendu l'autre jour notre Secrétaire général appeler le pape [1] avec de la haine dans la voix, a célébré sa messe en allemand pour être en communion avec les manifestants de Leipzig et de Dresde. Pour nous communiquer cette importante information, Mgr Macchioli a bien voulu lever un instant les yeux de ses grimoires. Très sûr de lui soudain, il a ajouté que Sa Sainteté jugeait inéluctables de prochaines avancées de la liberté en Europe.

De son côté, Grigori Akhmanov affirme à qui veut l'entendre que, devant la détérioration de la situation, Gorbatchev et les brejnéviens du Comité central se sont résolus à conclure un accord historique. Fini le temps des cerises, conclut-il avec l'un de ces beaux sourires homicides qui lui vont si bien au teint.

Balivernes, calembredaines, fariboles : les mots ne manquent pas pour qualifier les bruits de couloir qui se glissent sous toutes les portes, ici comme dans n'importe quelle conférence, mais un peu plus tout de même compte tenu des circonstances. Lancés finalement moins par la

[1] Jean-Paul II (1920-2004), 262e pape de l'Église romaine et apostolique, le premier d'origine polonaise. (*Note de l'Éditeur*)

volonté de désinformer que par le besoin de se rassurer soi-même.

Je continue à m'étonner de l'attention que je mets à observer les micro-événements qui ponctuent cette Conférence dont je n'ai rien à faire. La faute de Rancourt sans doute. À l'époque où il s'était mis en tête de faire l'éducation du blanc-bec que j'étais, il m'avait dit :

— En toutes circonstances, soyez ethnographe ! Sur le long terme, ce sont les seuls humains à tirer leur épingle du jeu. Si vous arrivez à vous installer durablement dans cette posture, tout ce que vous vivrez dans notre bizarre métier vous passionnera. En plus, si le cœur vous en dit, vous pourrez même agir avec quelque chance de succès. Agir, vous voyez ce que je veux dire ? Dans ce mélange de connivence, d'indifférence et de gaieté, qui est la seule façon d'entamer l'absurdité du monde.

Il m'arrive de croire que je ne suis finalement qu'une simple projection de l'esprit fécond de Rancourt.

À treize heures précises, devant une salle déjà à moitié vide, Sir Alec a levé la séance. Prochaine réunion le mardi 7 novembre.

— Qu'est-ce que vous allez bien faire à Belgrade ? ai-je lancé.

— Qu'est-ce que vous allez mal faire à Paris ? m'a-t-elle renvoyé.

Ne trouvant pas de réponse à ces questions pertinentes, nous avons annulé nos billets. Finalement, nous n'avons encore rien vu à Londres.

Samedi 28 octobre 1989

Un froid d'enfer. Elle voulait s'acheter des gants, moi un borsalino comme j'en portais pour faire le malin dans les rues de Pékin au début de la Révolution culturelle. Une matinée entière, nous avons poussé les portes de boutiques hors du temps du côté de Regent's Street. Missions accomplies, nous avons convenu qu'en ces circonstances difficiles, il était plus sûr d'avoir un complice. Comme, du reste, pour pénétrer à la National Gallery. Je lui ai avoué que, plusieurs fois, devant la porte, j'avais préféré rebrousser chemin, las par avance d'un dialogue solitaire avec des œuvres que j'avais l'impression de trop connaître.

Nous avions pris place au sortir d'un film dans un restaurant chic tout près d'Oxford Circus. Dans la foulée, j'ai reconnu que je n'aurais pas eu le courage d'entrer dans un cinéma si elle n'avait pas été là.

— Ni moi de m'installer seule dans un bouiboui franchouillard de ce genre, a-t-elle dit très fort.

De loin en loin, elle aime glisser des termes argotiques qu'elle a appris du temps où elle était conseillère de presse à Paris. Le maître d'hôtel français a fait celui qui n'avait rien entendu, et il y a même mis un tel professionnalisme que nous avons éclaté d'un seul rire.

Nous avons bu le bordeaux très cher qu'il nous avait suggéré, tout en continuant à nous raconter.

Je ne sais trop ce qui peut finalement se passer entre nous. Elle est à l'opposé de tout ce qui m'a plu dans les femmes depuis bien des années. Ce corps bien découplé, ce visage volontaire, mâchoires comprises, cette façon d'articuler ses mots pour les inscrire dans le crâne de son interlocuteur, tout en elle est construit pour me heurter de plein fouet. Pourtant, j'aime le mélange de désespoir grinçant et d'incurable optimisme qui me paraît constituer la clé de sa personnalité. Je ne peux nier non plus l'émotion que j'éprouve à sentir en elle un poids de vécu comparable à celui que je trimballe.

Dimanche 29 octobre 1989

Poursuite de notre marathon à travers la ville. Zorica a la démarche élastique de la sportive de choc. Elle m'a expliqué qu'elle avait été championne de je ne sais quel sport de ballon.

— Nous en avons foutu, des raclées, aux Françaises ! a-t-elle lancé d'une voix joyeuse.

En évoquant ce versant de sa vie, son sourire n'avait rien à voir avec ceux qui s'arborent dans les stades. J'ai compris qu'elle voulait surtout évaluer jusqu'où elle pouvait m'exaspérer.

Nous avons fini par atterrir à Greenwich, en ayant oublié de déjeuner. Comme des gamins, nous avons sauté et ressauté le méridien. Le *méridien d'origine* ! Obscurément, je crois, nous avons su l'un et l'autre que c'était un geste moins neutre qu'il ne semblait.

Le soir, au beau milieu de la conversation, Zorica s'est arrêtée net :

— Finalement je crois que j'aime encore les hommes, a-t-elle laissé tomber.

Elle m'a dévisagé avec une audace tranquille jusqu'à ce que ma main saisisse la sienne sur la table.

Au moment où elle mettait son manteau, j'ai aperçu sa nuque, très longue et mince, incroyablement blanche. Le contraste avec les attaches solides de son corps athlétique m'a bouleversé. Comme si elle sentait mon émotion, elle s'est retournée. Le regard soudain grave qu'elle a fixé sur moi m'a fait prisonnier. À travers les rues que balayaient des rafales glacées, nous avons marché, épaule contre épaule. Jusqu'à sa chambre.

Lundi 30 octobre 1989

Zorica respire fort, lovée en boule tout au bord du lit. La seule position où elle peut dormir, m'a-t-elle dit. Apparemment depuis l'époque où la gamine qu'elle était vivait à la dure en pleine montagne.

J'ai tout de même tiré le cahier où j'écris ce journal du sac de cuir râpé que je transporte partout et qui fait sourire Zorica. Sa chevelure épaisse est étalée en nappe brune sur le drap. Du bras droit, elle protège son visage. Parfois la bouche laisse échapper un murmure indistinct.

Drôle d'exercice, décrire au lieu d'écrire... Sur le fauteuil à côté du lit, elle a méthodiquement plié ses affaires.

— J'ai besoin de savoir que je suis prête à affronter n'importe quelles circonstances, m'a-t-elle expliqué quand j'ai plaisanté à ce propos. Le néant compris. Je tiens à ne pas laisser de désordre derrière moi. À défaut de laisser quoi que ce soit d'autre !

Mardi 31 octobre 1989

J'ai fait raconter à Zorica son existence quand sa famille était cachée dans un lacis de rochers au-dessus de Travnik.

Des résistants de la capitale s'étaient réfugiés en ce lieu impossible avec femmes et enfants. Les troupes nazies et leurs supplétifs croates avaient méthodiquement entrepris de les déloger.

Ses récits se succédaient, marqués au sceau de la mort. Deux ou trois fois elle tenta de passer à ce qu'elle appelle mes « *estampes japonaises* ». Par souci d'équilibre, j'imagine. Mais mes galipettes dans les maisons de thé ou mes couplets sur la magie du kabuki pesaient si léger que très vite nous nous retrouvions dans les Balkans en feu de son enfance.

Comme chaque jour, Zorica a acheté tous les journaux disponibles dans les kiosques, les serbes, les britanniques, les français. Et même deux ou trois moscovites puisque, assure-t-elle, lire la *Pravda* est maintenant devenu une partie de plaisir. Comme elle fait avec ses vêtements, avant de se coucher, elle a mis un ordre quasiment militaire dans cette masse de papier, qui forme un haut cube au pied de la table de nuit.

Au moment où elle sombrait dans le sommeil, je l'ai entendue marmonner d'une voix sourde en français :

— Les incendies vont se rallumer…

Assis devant le bureau, le stylo dressé tel un glaive dérisoire, je fixe ce corps pelotonné dans la pénombre, à l'extrême bord du lit. Chaque fois que le drap se soulève, je me sens soulagé.

NOVEMBRE

Mercredi 1er novembre 1989

Pourquoi tiens-tu ce *Journal* ? m'a demandé Zorica. Je lui ai expliqué qu'au départ, c'était pour conjurer l'angoisse des deux mois de déportation à Londres auxquels j'avais eu l'impression d'être condamné. Au moment précis où s'annonçaient des échéances professionnelles et personnelles difficiles. Et puis, très vite, c'était devenu comme se laver les dents avant de s'endormir. Une hygiène pour ne pas laisser les heures vécues se transformer en bouillie pour les chats.

L'après-midi, elle m'a emmené à Hillgate déposer une rose sur la tombe de Marx. Karl, le vrai. Elle avait fait sa thèse sur *Le Capital*, ce qui ne dénotait pas une originalité excessive dans la Yougoslavie de Tito. Si elle avait renoncé aux vérités venues d'en haut et finalement démissionné du Parti, elle gardait une grande affection pour le prophète barbu :

— Le grand-père que je n'ai pas eu ! C'était un homme généreux et bon. Ça me rend malade que tant de gens aient été tués en son nom ! Sûrement personne n'a pensé à lui aujourd'hui Jour des morts.

Elle avait tort. Il n'y avait plus, comme c'était le cas autrefois, ces gerbes et ces couronnes somptueuses envoyées par les puissants du monde communiste. « *Ils n'ont même plus la reconnaissance du ventre* », a-t-elle sifflé entre ses lèvres. Mais des mains anonymes avaient déposé des pyramides de modestes bouquets.

D'un geste brusque, rageur même, elle a jeté au milieu de cet océan de fleurs la rose rouge qu'elle avait apportée. Puis elle m'a saisi la main, et l'a serrée très fort, les yeux perdus vers on ne sait quel horizon. Sans prononcer un mot, nous avons regagné la sortie à petits pas.

— Bon : grand-père doit être content ! a-t-elle lancé quand nous nous sommes retrouvés dans l'impériale du bus.

Jeudi 2 novembre 1989

Au retour de notre virée campagnarde, nous avons dîné dans une brasserie populaire du côté de Haymarket. À une table un peu à l'écart, Zorica a repéré Grigori, Muller et Vachilev, le Bulgare. Des cadavres de bouteilles les cernaient. L'air de rien, elle est passée discrètement près d'eux.

— Le trio infernal ! a-t-elle chuchoté en se rasseyant. Ils ont de vraies mines de conspirateurs. Ils parlaient à mi-voix. J'ai juste entendu distinctement le mot *Gorbatchev* agrémenté d'un adjectif peu en usage dans les chancelleries. Leur point d'accord principal. Ce sont eux les trois vrais durs de la bande ! Notre bon camarade tchèque est trop un intellectuel à leur goût. Quant aux Polonais et aux Hongrois, ils les ont déjà rangés dans la catégorie des traîtres à abattre.

En gagnant la sortie, les trois hommes sont passés tout près de nous, largement déboutonnés. Ils étaient tellement plongés dans leurs angoisses et leurs bières qu'ils ont paru ne pas nous voir. Je ne jurerais pas pourtant que Hans Muller ne nous ait pas repérés. Un bref instant, son visage s'est figé dans une sorte de rictus douloureux, et il a détourné immédiatement la tête d'une manière qui ne m'a pas semblé tout à fait naturelle.

Zorica est restée silencieuse un moment. Songeuse, elle a repris la parole :

— Ils finiront par descendre Gorbatchev. Ça ne m'étonnerait pas qu'ici à Londres, ni vu ni connu, ils préparent quelque chose. Mais ça risque d'être trop tard maintenant. Trop de gens ont pris goût à la liberté, le jeune Malevitch nous le démontre tous les jours, et au pouvoir. Quant aux *pays sœurs*, comme nous disions jadis, du haut de notre arrogance titiste, pour énerver les camarades de l'autre côté de nos frontières, leur population a retrouvé le chemin de la rue et, plus simplement, le courage de se battre.

Pendant que nous faisions l'amour, plusieurs fois elle a murmuré des bribes de phrases en serbo-croate [1]. Enfin j'imagine...

Vendredi 3 novembre 1989

Par la fenêtre embuée, serrés l'un contre l'autre, nous avons observé le jour glauque.

— Difficile d'avoir l'envie de mettre le nez dehors, a-t-elle constaté.

[1] Cette langue a disparu en 1991 avec l'éclatement de la Yougoslavie, marqué par l'apparition du *serbe* et du *croate*. « *Traduit du serbo-croate* », peuvent encore lire les nostalgiques sur les œuvres littéraires traduites avant cet événement. (*Note de l'Éditeur*)

— Ce ne serait pas très raisonnable, ai-je renchéri.
Il ne nous restait qu'à nous remettre au lit.

Le soir, tout de même, nous nous sommes décidés à affronter le monde extérieur. Mgr Macchioli faisait les cent pas dans le hall de l'hôtel. De loin, il nous a adressé un sourire que j'ai jugé complice. Ce n'était pas l'avis de Zorica. Je ne savais pas à quel point elle portait aux prêtres une haine viscérale. Dans le taxi, elle m'a expliqué :

— L'avantage d'être yougoslave, il faut bien qu'il y en ait un, c'est qu'on croise en permanence des popes, des curés et des imams. De quoi se fabriquer une théorie générale sur les clercs ! Ils ont en commun un certain type de crasse, sur eux et dedans leur tête. Mais surtout, dans nos montagnes pas tellement helvétiques, ce sont des gens qui ont la manie de vouloir fendre le crâne de leur prochain. Avec le premier tomahawk qui leur tombe sous la main, goupillon, cimeterre, n'importe quoi. Un de mes premiers souvenirs, c'est un aumônier oustachi [1] en train de faire un carton sur des prisonniers serbes. Avec les balles sortant de sa mitraillette, il dessinait des croix dans le troupeau qu'ils formaient à la porte d'une grange, et il hurlait des bénédictions en latin. Bon, on n'en parle plus. Je suis sûre que ce Macchioli est un saint homme. Il aura même profité de notre rencontre dans le hall pour bénir en pensée notre union pécheresse.

Impossible d'être seuls ! En rentrant, tard pourtant, nous sommes cette fois tombés dans le hall du *Carlton* sur Marcus Schuster, qui paraissait attendre quelqu'un.

— Monsieur le Secrétaire général, lui a lancé Zorica

[1] Mouvement croate d'inspiration ouvertement fasciste. Hitler ayant accordé l'indépendance à leur patrie, les Oustachis se rangèrent aux côtés des troupes nazies pour combattre la résistance yougoslave. (*Note de l'Éditeur*)

d'une voix pas très agréable, vous faites veilleur de nuit maintenant ?

Sans daigner relever, il nous a offert le sourire mécanique auquel ont droit de sa part les chefs de toutes les délégations, et nous a souhaité bonne nuit.

— Encore un curé ! a maugréé Zorica dans l'ascenseur. Ou un pope !

Elle a fini tout de même par accepter de me prendre la main.

Samedi 4 novembre 1989

Tout en écrivant le télégramme sur l'état de la concertation entre les délégations de la Communauté européenne que Paris attend lundi matin – « *lundi dernier carat, hein !* » a dit notre éminent Directeur d'Europe à Claudine, qu'il appelle toujours quand il faut houspiller –, j'observe Zorica, très droite dans le fauteuil de sa chambre. Comme toujours, elle porte l'un de ces pulls noir et blanc beaucoup trop larges pour elle qu'elle affectionne. Les lunettes en équilibre sur l'arête du nez, elle lit le *Guardian*. Son regard bondit d'un article à l'autre, pas content. Elle trouve insupportable la profusion de cette écume pour nantis alors que, tout près, dix pays, sur un terrain truffé de mines, tentent de trouver la liberté, et que sa patrie à elle est au bord de l'explosion... Pour la première fois de ma vie, j'aime des lèvres minces, et le sourire mystérieux qu'elles dessinent.

D'un geste furieux, Zorica jette le journal, et s'enferme dans ses pensées. Les doigts ont repris leur manège, jouant entre eux, massant le front, explorant le visage, anxieux de ses replis et de ses protubérances. Depuis qu'elle est petite fille, j'imagine, ils ne se sont jamais arrêtés.

Soudain elle se dresse : j'ai faim ! Un cri qui lui est venu plusieurs fois au cours de ce long week-end sans qu'elle ait la moindre envie de manger. Elle a simplement besoin de hurler à la vie après toutes ces années à lutter pour redresser la barre de trop de bateaux ivres.

J'en étais à écrire : « *On peut se demander dans ces conditions si...* » Les foutaises habituelles, quoi. Je me suis levé en laissant tout en plan. Cette fois, nous sommes sortis de sa chambre sans vérifier s'il y avait quelqu'un qu'il valait mieux ne pas croiser dans le couloir.

Dimanche 5 novembre 1989

À Hyde Park, malgré la bruine glacée, les orateurs du dimanche drainaient leur clientèle d'habitués aux mines goguenardes. Coriolis aurait eu sa place ici. Et Milescu sortant de sa boîte comme un coucou suisse, sa pancarte *NON* à la main. Et Sir Alec avec ses bégaiements plus vrais que nature. Et nous aussi... Chiche, Zorica ? Mais l'intéressée n'a pas voulu essayer.

— J'ai assez prêché dans ma vie, a-t-elle lancé.

Nous avons reparlé de Hans Muller qu'elle a beaucoup fréquenté à Berlin. Il était l'une des deux ou trois figures de proue du ministère. À son arrivée en RDA, elle avait pensé qu'elle trouverait des responsables avec qui discuter. Sinon du passé, au moins du présent et de l'avenir. Qu'on le veuille ou pas, ils étaient les enfants du même couple fondateur, et ils avaient suffisamment vécu de drames les uns et les autres pour qu'il soit urgent d'échanger les expériences.

— Même quand ils acceptaient de vider à la Résidence

mes bouteilles de *slivovitz*, aucun dialogue jamais ne se nouait. On pouvait se payer la tête de Honecker ou dire du mal des camarades du Kremlin, pas discuter entre êtres civilisés des déviations d'un système dont les exemples pourtant s'étalaient sous nos yeux. Plusieurs fois, j'ai annoncé à Muller et à d'autres, sans trop y croire, juste pour être désagréable, qu'à force de nier les évidences, tout finirait par péter. Par péter, mon cher Hans, tu m'entends !

Elle étouffa un petit rire, avant de reprendre :

— Hans m'impressionnait. C'était le fils d'un héros assassiné par les nazis. À dix-huit ans, il s'était engagé dans l'Armée rouge. Je ne sais combien de fois il avait été décoré, une fois même par le maréchal Joukov en personne. Il n'en parlait jamais, c'est par des amis que je l'ai su. Pour lui, s'être battu comme un chien, c'était bien le moins. Par la suite, il a exercé des fonctions importantes. C'est lui, par exemple, l'organisateur de la recherche scientifique du pays. Une seule chose comptait à ses yeux : aller de l'avant ! Les ruminations autour du bien et du mal étaient un gâchis d'énergie. Nos petites histoires en Yougoslavie, l'autogestion, la décentralisation, l'exaspéraient tout spécialement. D'où mes rapports orageux avec lui. Ça ne s'est pas arrangé ici. Dans une conférence comme la nôtre, il se sent en territoire ennemi. « *La trahison des Soviétiques* », comme il dit, et « *les manifestations que des incapables laissent dégénérer à Leipzig* » ont fait déborder le vase. Ce n'est pas le meilleur contexte pour avoir des conversations constructives avec lui !

Elle s'est arrêtée un instant :

— À Berlin, j'éprouvais d'autant plus le besoin de me montrer désagréable que Hans avait l'idée fixe de me mettre dans son lit. Deux ou trois fois, il s'est même conduit de telle sorte que j'ai dû le menacer d'une rupture des relations diplomatiques entre nos deux pays.

Mon rire lui a fait du bien :

— Cinq ans, j'ai passé en RDA ! J'ai réussi à m'éclipser avant les cérémonies du quarantième anniversaire. Il fallait que je me prépare à diriger notre délégation à l'importante Conférence de Londres ! Pas une période faste, ces années. J'ai bien croisé quelques aborigènes avec qui j'aurais aimé faire un bout de chemin, mais j'ai vite compris que je les fourrais dans d'inextricables problèmes. Il valait mieux que je passe mes week-ends seule. Seule évidemment, parce qu'avec tes collègues de l'Ouest en poste là-bas... bon, mieux vaut ne rien t'en dire, tu le sais par cœur. Pas terrible, en définitive, le monde où nous avons échoué !

Sur le fauteuil, elle avait posé ses deux pulls favoris, le noir blanc et le blanc noir. Je les ai reniflés, serrés contre moi. Ils étaient effrangés l'un comme l'autre, et les coudes en avaient été maladroitement raccommodés. Quand elle est sortie tout à coup de la salle de bains, je les ai remis à leur place en ébauchant un sourire d'enfant pris le doigt dans la confiture.

— Ils ont beaucoup vécu, a-t-elle laissé tomber. Moins que moi tout de même !

Lundi 6 novembre 1989

Au sortir de la douche, Zorica s'était fait un énorme chignon qui tenait on ne sait trop comment au sommet de son crâne. Pas forcément d'un effet très heureux, mais la voir si naturelle suscite en moi une émotion étrange. Et tout à fait inédite. J'en suis même arrivé à ne plus m'offusquer de la robe de chambre à grandes fleurs rouges et vertes qu'elle s'obstine à mettre le matin.

Dernier jour à parcourir les docks à grandes enjambées et à nous serrer l'un contre l'autre dans les taxis. Drôle à constater, pour moi qui ai toujours été un amateur maladif de très jeunes femmes : j'aime sentir en Zorica la pesanteur des années. Ce qu'elle a vécu, mais aussi les minuscules rides qui strient ses tempes, ou ses seins lourds et comme végétaux.

Au bar de l'hôtel, Mgr Macchioli était en grande conversation avec le jeune Malevitch. Ils parlaient en russe. Le représentant du Saint-Siège a fait beaucoup de progrès ces derniers temps, m'a assuré Zorica. Elle m'a expliqué que, durant nos séances, il potassait des manuels de grammaire quand *L'Économie de la Rédemption* lui laissait un instant de répit.

— En bon apparatchik, il se prépare à toutes les éventualités professionnelles, a-t-elle commenté. Tout bouge si vite en ce moment !

Serrés l'un contre l'autre, nous avons fait le point sur la semaine que nous venions de vivre.

— Finalement les choses ne sont pas difficiles à vivre, a-t-elle conclu. Ce qui est difficile, c'est de se mettre en état de les vivre, non ?

Il m'a fallu un bon moment pour reconnaître, à peine modulée, la phrase de Brancusi que j'avais brandie avec tant de conviction durant la péroraison de mon discours à l'ouverture de la Conférence.

— Heureusement que je t'écoute plus que tu ne t'entends, a-t-elle souri.

— « *La chèvre occidentale et le chou socialiste* », ai-je rétorqué.

Depuis le jour où elle a fait son discours, ces mots me trottent dans la tête. Quand je l'avais entendue les prononcer, j'y avais juste été d'un « *salut l'artiste !* » amusé.

Sans que j'y prenne garde, la formule s'est peu à peu gorgée en moi d'émotion. Elle me semble refléter toute la personnalité de Zorica : ce mélange de drôlerie, de provocation et de désespoir qui me touche de plus en plus. Le moment était venu de le lui dire.

Nous n'attendions que cette occasion pour nous mêler une nouvelle fois.

— Attention ! m'a-t-elle lancé quand nous avons repris nos esprits. Les circonstances ont fait que je n'ai qu'une expérience très modeste du cœur des hommes. Et ma connaissance de leur corps est à peine meilleure. Je vais sans doute me révéler particulièrement idiote. Ou bien franchement odieuse. *Prends garde à toi !* ainsi que le chante votre cigarière nationale.

Et pour que je me le tienne pour dit, de sa voix vibrante, elle a entonné l'air de *Carmen*. Seuls des coups furieux sur la cloison sont venus à bout de sa volonté de me le chanter jusqu'au bout.

Mardi 7 novembre 1989

Ce matin, nous avons donc regagné le paquebot tout blanc dont nous sommes devenus l'équipage depuis le début du mois d'octobre. Nous en connaissons par cœur la coupée, le pont, les soutes. Et les passagers. Sir Alec n'avait pas trouvé le temps de se déplacer, et c'est Ted Garrisson qui a ouvert la séance. Et il ne plaisantait pas tout à fait lorsqu'il nous a lancé un chaleureux *Welcome home* !

Chez Harrods, au rayon des pulls, je suis tombé sur Sybil et Elsa, au milieu d'une montagne de sweaters multicolores. Bien qu'en plein numéro de séduction mutuelle, elles m'ont accueilli comme un vieil ami de la famille et m'ont offert leurs services.

— On ne vous posera aucune question sur la destinataire, a promis Elsa. On est des gentlemen !

Dans une cascade de rires, elles ont passé tous les pulls que je souhaitais leur voir essayer, plus quelques autres. Elles m'ont juste chicané sur la taille, en me jurant qu'aucune femme honnête ne mettait des vêtements à ce point surdimensionnés. Mais j'ai tenu bon, ayant vu l'intéressée se battre dans des boutiques de fringues contre des vendeuses bien intentionnées.

Appel de l'éternel Rancourt. Il voulait me faire part de sa « *découverte* ». Un *Eurêka* pas vraiment dans sa manière. À force de retourner les faits en tous sens, m'a-t-il annoncé, il avait enfin compris pourquoi, contre toute logique apparente, les choses s'étaient d'un coup détraquées en Union soviétique : l'explosion de la centrale nucléaire de Tchernobyl en 1986 avait eu sur la population du pays des effets psychologiques comparables à ceux d'Hiroshima sur les Japonais en 1945. Elle avait apporté la démonstration irrécusable de l'incapacité de la patrie du socialisme à maîtriser l'avenir. Après une catastrophe qui témoignait d'une telle infériorité sur l'adversaire, il n'était plus imaginable de continuer comme avant. Tout comme Hiro-Hito avait utilisé le champignon d'Hiroshima pour expédier à la casse ses officiers jusqu'auboutistes, Gorbatchev avait profité du champignon meurtrier de Tchernobyl pour entreprendre la mise en pièces systématique d'un régime qui venait soudain de perdre ce qui lui restait de légitimité aux yeux de la population.

Pressé, j'ai accepté sous bénéfice d'inventaire ce schéma d'explication un peu trop mycologique à mon goût.

Mercredi 8 novembre 1989

Le point avec le Secrétaire général de l'organisation.

— Face aux ouvertures des Polonais et des Hongrois sur les journalistes et les ondes courtes, plaide-t-il, vous restez incroyablement timorés. Il est grand temps que vous vous montriez plus battants.

En vrai homme d'appareil, il a employé le *vous* pour nous désigner, nous les Occidentaux.

Au moment de nous séparer, il m'a dit :

— Attention ! Les choses peuvent aller plus vite et plus loin que nous pensons ! Soyez prêt à toutes les éventualités !

Pour retrouver les bonnes habitudes, nous parlions avec Carlos en chinois quand, tout émoustillé, notre camarade finlandais s'est approché :

— Les Soviétiques n'en croient pas leurs yeux. À leur sacro-sainte réunion de coordination du mardi matin, il n'y avait pas que les Polonais et les Hongrois aux abonnés absents : les Tchèques aussi avaient oublié de venir ! Grigori était dans tous ses états, et il a câblé sur-le-champ à Moscou. Qu'ils convoquent l'ambassadeur à Moscou et qu'il soit vertement tancé comme au bon vieux temps. Les Tchèques ! Où allons-nous, mes bons amis ?

— On nage en plein Agatha Christie, a ironisé Carlos. *Les Dix petits nègres* ! Qui sera le prochain à disparaître des antichambres de Grigori, c'est la seule vraie question qui se pose à notre Conférence.

Heikki en a profité pour rappeler la boutade lancée par Gorbatchev lors de sa récente visite à Helsinki. À un journaliste qui lui demandait sa position par rapport à la fameuse « *doctrine Brejnev* » légitimant l'intervention de 1968 en Tchécoslovaquie et le rôle de chien de garde de l'URSS, il avait rétorqué que sa doctrine à lui, c'était la « *doctrine Sinatra* ». Et il s'était mis à fredonner les premières mesures de *It's my way*.

— J'étais à un mètre de lui, a expliqué le Finlandais. Je connais un peu les Russes : à la manière qu'il a eue, malgré les journalistes et les caméras, de fermer un instant les yeux pour se réapproprier la mélodie, j'ai su que ce type était sincère. Je suis convaincu qu'il laissera ces salauds de la RDA se débrouiller sans lever le petit doigt. Reste à savoir si, chez lui, les gens de l'appareil ne le mettront pas auparavant hors d'état de nuire.

J'avais demandé au jeune Leroux ce qu'il savait de Mgr Macchioli qui veut absolument, comme il dit, m'*avoir à déjeuner*. J'ai surtout appris que le bon prélat célébrait sa messe chaque matin dans la chapelle du couvent des clarisses qui l'héberge à Bloomsbury. Une cérémonie à laquelle plusieurs délégués de notre Conférence, dont Leroux lui-même, assistent régulièrement. Un roulement a même été organisé pour que soient tous les jours présents quatre ou cinq d'entre eux. Petits arrangements entre militants. Toutes les Internationales ne prennent pas l'eau.

Avant de se retirer, Leroux m'a confié, en rougissant, qu'un membre d'une délégation de l'Est dont il ne pouvait pas dire le nom l'avait informé que le Comité central est-allemand venait de présenter sa démission collective. Le deuxième ou troisième changement d'équipe depuis le départ du regretté Honecker il y a trois semaines. Je lui ai demandé ce qu'il en tirait comme conclusion.

— Il semble qu'il y ait un peu de flottement là-bas, a-t-il répondu, décidément bien armé pour faire une grande carrière…

Une carte postale de Setsuko. La mer étincelante sous le soleil, et au verso trois phrases convenues. Le clin d'œil qu'une fille pressée envoie à son père resté à la maison.

Jeudi 9 novembre 1989

Tombé par hasard au milieu de la cohorte de gens corsetés que nous formons, Harry Marx n'a vraiment confiance, je crois, qu'en Heikki. Le petit Juif du Middle-West qu'il est se sent de plain-pied avec ce Finlandais au physique de bûcheron et aux rires de cow-boy. Celui-ci l'a convaincu que les changements en cours vont aller s'accélérant, y compris en Allemagne de l'Est où personne n'arrive plus à enrayer l'exode de la population à travers les frontières hongroises ouvertes depuis septembre[1]. Harry s'est décidé à envoyer un message personnel à ce propos au Vice-président grâce auquel, après tout, il se trouve à Londres. « *Il faut monter dans le train* », répète-t-il dans les couloirs avec dans la voix des trémolos de prêcheur noir.

Déjeuner en tête à tête avec le très belge Paul de Geer. Plus diplomate tu meurs, la cinquantaine dégarnie, qu'il vente ou qu'il pleuve prince-de-galles trois pièces, de

[1] Acculée à une grave crise financière, la Hongrie obtint cet été-là un prêt important de la RFA à la condition d'ouvrir ses frontières. Une condition d'autant plus acceptable pour Budapest que les installations frontalières exigeaient une urgente et coûteuse remise en état… (*Note de l'Éditeur*)

magnifiques pochettes assorties à ses cravates. Comme pour la plupart d'entre nous, la Conférence est pour lui un terrible pensum. Mais, plus cohérent, il en a tiré les conséquences en ne faisant que d'épisodiques apparitions au Centre. « *Laissons aux grands pays le soin de régler les grands problèmes* », glisse-t-il avec un imperceptible sourire.

C'est un Flamand de choc. Je l'ai félicité pour son anglais parfait, qu'il utilise chaque fois qu'il le peut. Il n'a pas sourcillé.

Je sais par son adjoint, wallon, bien sûr, que sa mère est française. Et sa maîtresse du moment aussi, qu'on aperçoit parfois devant le Centre de conférences, assise hiératique à l'arrière d'une superbe voiture avec chauffeur.

— Nous les Belges, nous vivons un affrontement qui plonge ses racines au plus profond de l'Histoire et dans chacun de nos cœurs, m'a-t-il expliqué à la fin du repas. Il faudra bien un jour que la Belgique en tire les conséquences. Les Français doivent savoir que nous, les Flamands, nous n'avons évidemment rien contre eux. Nous les apprécions même beaucoup quand ils se moquent, mieux que nous encore, de nos communs voisins wallons.

Depuis des temps immémoriaux, la famille de Geer possède un château dans le Médoc.

— Venez un jour goûter nos vins, a-t-il conclu, ils méritent le détour !

Ce soir, j'ai offert à Zorica les deux pulls achetés chez *Harrods*, le noir et blanc, et le blanc et noir. En cachemire, deux tailles trop grandes en dépit des supplications de Sybil et Elsa. Notre premier cadeau. Elle aurait bien aimé pleurer. Mais, comme elle me l'a avoué, elle a oublié comment on fait.

Vendredi 10 novembre 1989

Une nuit d'amour comme nous n'en avions encore jamais vécu, corps et âme emportés dans une frénésie indescriptible. Nous qui sommes tous les deux des matinaux, nous n'avons ouvert l'œil que sur le coup de neuf heures. Par un reste de conscience professionnelle, j'ai appuyé sur le bouton de la télévision avant de passer dans la salle de bains.

Un hurlement de Zorica m'a fait accourir, le visage enduit de mousse à raser.

— Ils sont complètement fous, a-t-elle crié. Ils vont tous se faire descendre !

Sur l'écran, on voyait une bande de jeunes gens, le visage hilare, en train de donner de grands coups de pioche dans un mur. Le Mur de Berlin, aucun doute là-dessus.

J'ai expliqué à Zorica que c'était évidemment une fiction, le énième épisode d'un quelconque téléfilm de série B.

— Non, je t'assure, ce sont des images en direct de Berlin. Un journaliste vient de le dire. Mais qu'ils arrêtent enfin, ces cons ! Les gardes-frontières vont tous les tirer comme des lapins !

Prostrée sur la moquette, se tordant les mains d'anxiété, Zorica attendait le sifflement des premières balles. Soudain deux *vopos* un peu intimidés sont apparus dans un coin de l'image. L'un d'eux, en esquissant un mince sourire, a accepté de prendre le pic qu'un des démolisseurs lui tendait, et il a commencé à donner de grands coups comme les autres.

Heureusement pour notre équilibre mental, la BBC

nous a ramenés dans ses studios. Visiblement dépassé par les événements, un journaliste a confirmé la nouvelle insensée : l'ouverture de la frontière entre les deux Berlin.

Zorica cette fois-ci est partie dans une interminable crise de larmes, entrecoupée de fragments de phrases dans je ne sais trop quelle langue, du serbo-croate sans doute, ou du slovène, à moins après tout que ce ne soit du russe. Quand elle s'est calmée, je l'ai entraînée vers le miroir de la salle de bains. En apercevant son visage couvert de mousse à raser, elle a accepté enfin de se laisser emporter par le rire.

Le Mur *mis en pièces par les Berlinois eux-mêmes* sous le regard vide des gardes-frontières. Toute la journée, les participants à la Conférence ont vécu avec ces images que relayaient en boucle les téléviseurs installés au bar. Hans Muller a tout de même eu le cran d'assister à une partie de notre séance de l'après-midi. Nous l'avons salué comme si de rien n'était, et il a fait de même. Cinq semaines très exactement ont passé depuis la célébration en grande pompe du quarantième anniversaire de la RDA. Et depuis le *baiser à la russe* de Gorbatchev sur la bouche de Honecker.

Werner, lui, faisait tout ce qu'il était en son pouvoir pour ne pas extérioriser ses sentiments. Mais les accolades de ses collègues occidentaux dans les couloirs lui arrachaient de loin en loin comme des jappements de joie.

D'après les Britanniques, la décision d'ouvrir la frontière a été prise sans qu'ait été sollicité l'accord ou même l'avis de Moscou. Toute la journée, le siège soviétique dans l'hémicycle a été occupé par deux apparatchiks vieillis sous le harnais. On ne les avait jamais vus jusqu'ici. Des gardes du corps peut-être. Muets en tout cas, et sourds sans doute puisqu'ils n'ont pris aucune note.

— Pour célébrer dignement la chute du Mur, les Soviétiques ont ressorti de la Loubianka[1] leurs fameux agents couleur de muraille, ricanait partout Heikki Tuominen.

Toute la journée, il a promené parmi nous sa trogne réjouie. À plusieurs reprises on l'a entendu exhorter à haute voix tel collègue d'en face à prendre le large avant qu'il soit trop tard. Le scandale a pris de telles proportions que Ted Garrisson a dû lui demander de fermer sa grande gueule.

« *Unbelievable !* » répète Marx sur tous les tons. Il n'en revient pas d'avoir, lui tout seul, annoncé, ou presque, à Washington ce qui allait se passer, alors que les vieux routiers de sa délégation lui jetaient des regards narquois.

Tout au long de notre plénière, Milescu et celui que tout le monde appelle son « *jumeau* », habituellement muets et impassibles, ont bavardé de façon animée. Parfois, on avait même l'impression qu'ils n'étaient pas tout à fait d'accord. Le Mur n'a pas fini de créer du désordre, y compris au sein des familles les plus unies.

Il n'est pas jusqu'au couple exemplaire que forment Sybil et Elsa qui n'ait subi le contrecoup des affaires en cours. En début d'après-midi, le son français s'est interrompu net. À travers la vitre, on a vaguement distingué Sybil le nez sur son pupitre. De la cabine d'à côté, Elsa a jailli comme un diable et s'est précipitée au secours de son amie. Sir Alec qui avait trouvé le temps de présider compte tenu des circonstances berlinoises a bien été obligé de

[1] Place au centre de Moscou où se trouve le siège des organes, Tcheka, NKVD et autres KGB, qui se sont succédé pour assurer la sécurité de l'Union soviétique. (*Note de l'Éditeur*)

suspendre la séance. Le soir, Claudine m'a assuré que Sybil avait repris pied. Elle subodorait que le malaise qu'elle avait eu n'était pas sans lien avec une histoire survenue deux ou trois ans plus tôt. Une trop belle Allemande de l'Est, interprète comme elles, était alors entrée dans leur vie. Elle en était sortie brutalement, son gouvernement l'ayant soudain rappelée à Berlin et privée de son passeport. La chute du Mur risquait de changer d'un coup la donne.

— On refoule, on refoule, a conclu Claudine que je soupçonne d'en connaître un brin sur le sujet. Mais les faits sont têtus !

Samedi 11 novembre 1989

À peine ouvertes les portes de la salle à manger du *Carlton* ce matin, ça a été la ruée. La chute du Mur nous avait tous empêchés de dormir. Vingt-quatre heures plus tard, il nous fallait encore nous convaincre de la réalité des faits, et donc collecter des détails, toujours plus de détails ! L'événement est tellement énorme que personne d'abord ne s'est risqué au moindre pronostic sur ses suites.

Pas besoin de dire que nos collègues de l'Est, eux, avaient préféré se faire monter leurs petits-déjeuners. Faute de grives, c'est Zorica qui a été mise à la question. En sa qualité de Yougoslave, elle est réputée avoir bu aux mêmes biberons qu'eux, même si plus tard elle ne s'est pas nourrie de la même viande enragée. Pour le plus grand réconfort de tous les collègues présents, elle a avoué, autant de fois qu'on voulait, que pas un instant, elle qui venait de passer cinq ans à Berlin, elle n'avait imaginé que les choses se termineraient ainsi.

Un courageux, enfin, s'est jeté à l'eau : qu'allait-il se passer dans les prochaines heures à Berlin et ailleurs ? Nous avons touillé confraternellement les diverses hypothèses envisageables. Le Café du commerce où la fraternité s'épaissit au fur et à mesure qu'on y voit moins clair. Promue à la position de Pythie, Zorica commençait à en avoir sa claque.

— D'un système totalitaire, on ne sort que totalement, a-t-elle fini par asséner.

Cette forte formule, suffisamment énigmatique pourtant, a coupé le sifflet alentour, et elle en a profité pour prendre le large.

J'ai versé encore quelques questions saugrenues dans le chaudron collectif avant de me retirer à mon tour. Zorica attendait dans sa chambre. Nous savions que nous n'aurions pas assez d'un week-end pour fêter l'événement.

Dimanche 12 novembre 1989

Au bar de l'hôtel, un peu trop sûr de lui pour être tout à fait crédible, Heikki Tuominen nous a affirmé qu'une réunion convoquée au Kremlin le 9 dans la nuit avait envisagé l'option d'une intervention militaire à Berlin. Il y avait trois cent cinquante mille soldats soviétiques stationnés dans le pays, et des plans pour les utiliser dans ce genre de circonstances. Après avoir écouté les uns et les autres, Gorbatchev avait tranché clairement en faveur de la non-intervention. La *doctrine Sinatra* ! Tous les Grigori Akhmanov du régime allaient maintenant essayer d'avoir sa peau. Mais les structures du Parti et de l'armée étaient trop vermoulues pour que l'ordre ancien puisse être restauré, et chacun savait que les successeurs virtuels, les

Eltsine et autres, iraient bien plus loin encore si jamais le pouvoir leur revenait.

Heikki parle d'habitude en anglais, un anglais rugueux comme un tronc de résineux dans la grande forêt boréale... Dès qu'il a commencé à évoquer les réactions à prévoir de la part de la *nomenklatura*, il a bifurqué vers le russe. Zorica et lui ont poursuivi dans cette langue pendant un long moment. J'ai pensé à ce texte de je ne sais plus quel historien antique sur Alaric préparant en latin le sac de Rome avec ses généraux germaniques...

— Curieux quand même, a remarqué Zorica dans le taxi. Ce type a une haine abyssale des Soviétiques, et en plus il ne cesse de le proclamer. Pourtant il est le seul d'entre nous à avoir des contacts intimes avec eux. Je n'arrive pas à comprendre comment il parvient à avoir des informations aussi précises sur ce qui se passe dans les profondeurs du Kremlin.

Après avoir évoqué la fameuse complicité entre victimes et bourreaux, et deux ou trois autres hypothèses, nous avons décidé, pour simplifier, que la vodka était la meilleure des explications. Il se dit, en effet, que Heikki passe la moitié de ses nuits à boire avec l'un des membres de la délégation soviétique qu'il a connu jadis à Moscou. Dans le dernier des bars russes-blancs encore ouvert à Soho.

Le dîner expédié, nous avons décidé d'aller y prendre un verre. Situé entre deux restaurants pakistanais, l'endroit ne paye pas de mine. Au début de la Conférence, Zorica y avait été emmenée par son ami Hans Muller. L'endroit était plein à craquer. Se succédaient les refrains de toujours. Blancs et Rouges confondus, a affirmé Zorica qui possède le sixième sens qu'il faut. Sur une banquette tout au fond, derrière les nuages de fumée, nous avons aperçu Grigori, emporté dans une discussion violente avec un type de son genre. L'ambassadeur à Londres, m'a dit Zorica, l'une des figures de proue de la *perestroïka* au sein du service diplomatique soviétique.

Nous avons bu un verre de vodka au bar en nous laissant prendre aux rythmes ambiants. Au moment où nous sortions, la Mercedes de Heikki était en train de se garer. J'ai ouvert la portière de la voiture d'où il s'est difficilement extrait. Il s'est jeté dans les bras de Zorica, et nous a obligés à redescendre avec lui. À l'intérieur, tout le monde ou presque l'a embrassé, les Blancs comme les Rouges. À son quatrième ou cinquième verre, il a accepté de chanter *Kalinka* de sa voix de basse à remuer les pires fusilleurs de la Loubianka. Toutes les conversations se sont tues, y compris celle de Grigori et de son collègue gorbatchévien. Quand il s'est arrêté, les yeux pleins de larmes, nous l'avons lâchement abandonné. Il était entouré de copains qui le ramèneraient à l'hôtel. Au petit matin.

— Il dort deux heures par nuit, m'a assuré Zorica.

Il m'aura fallu du temps pour prendre conscience du contraste étrange entre les poignets vigoureux de Zorica et ses chevilles, incroyablement graciles.

— Ma nuque, que tu veux bien trouver très féminine, aurait dû te mettre sur la voie, a-t-elle rétorqué en plaisantant, vaguement agacée pourtant. Si je n'avais pas joué au volley comme une déesse – oui, on l'a même écrit en toutes lettres dans de vrais journaux, et pas seulement en cyrillique ! –, j'aurais sûrement des poignets conformes à tes canons de femmes lianes. Il faut me prendre comme je suis. Ou bien me laisser au bord de ta route !

Semblable à tant de ses pareilles, Zorica n'aime pas, pour reprendre son expression, qu'on la « *détaille* ». Setsuko, au contraire, adore – adorait… adore sûrement encore – qu'on s'extasie sur chacune des particularités de son anatomie. Sans refuser pour autant, bien sûr, un jugement d'ensemble. Une attitude plus conviviale, me semble-t-il, mais je ne me suis pas senti le besoin, ce soir au moins, de me faire l'avocat de cette thèse.

Zorica à poings fermés, blottie au bord du lit pour pouvoir s'échapper s'il en était besoin. J'ai repris les livres achetés à Beaubourg pour canarder les camarades roumains. Suis tombé sur cette phrase, pour Brancusi évidemment cardinale : « *Quand tu vois un poisson, tu ne penses pas à ses écailles, non ? Tu penses à son élan, à son rythme.* » Une phrase écrite pour Zorica. Je l'ai recopiée sur un bristol que j'ai glissé dans son sac.

Lundi 13 novembre 1989

La mine épanouie, Coriolis, l'homme d'*Acteurs sans frontières*, m'a abordé à la sortie de la salle de conférences.

— La chute du Mur ! Ça, c'était du théâtre ! m'a-t-il lancé de sa voix de père noble. Avec une mise en scène impeccable. Du grand théâtre ! Cela dit, laissez-moi vous le dire : si on avait laissé les comédiens de tous les pays européens monter librement leur chapiteau aux quatre coins du continent, il y a longtemps que le Mur serait par terre !

Il est parti d'un éclat de rire si dégoulinant de bonheur que je n'ai pu m'empêcher de l'imiter.

Mgr Macchioli, qui désormais traîne partout sa tenue de clergyman immaculée, m'a pris par le bras. Il avait entendu les propos de ce fou de Coriolis et mon rire sans retenue. Paternel, il m'a dit :

— Ne vous inquiétez pas, la chute du Mur a brouillé les repères de chacun d'entre nous !

Entre deux réunions, Setsuko, au téléphone, très loin au bout du fil :

— Avec cette histoire de chute du Mur, votre Conférence va s'arrêter, non ?

J'ai senti que cette perspective la préoccupait. Je l'ai rassurée.

« *À toutes fins inutiles.* » Par deux fois, au cours de notre réunion de délégation du matin, je me suis surpris en train d'utiliser cette expression. Une expression que Rancourt ne peut s'empêcher de sortir tous les quarts d'heure. Depuis, j'imagine, qu'il est entré au Département voici soixante ans.

À l'intérieur de chacune des peuplades de la forêt coexistent des lignées bien reconnaissables. Dans la nôtre, celle des représentants de la République à l'étranger, le phénomène est particulièrement accentué du fait que nous vivons en endogamie prononcée. Rancourt parle comme son maître Ponthieu, son premier patron, qui, lui, causait comme l'ambassadeur Vivien, et ainsi de suite, sans doute jusqu'à Vergennes.

Dans les batailles au couteau pour obtenir les postes, c'est la lignée qui gagne à l'arraché, ou bien au contraire qui est défaite, à la consternation de ses membres. Je sais que Rancourt a vécu comme une défaite personnelle mon élimination de la direction d'Asie et mon remplacement par Ambérieux, un poulain de son vieil adversaire Bailloux. Si, en plus, je n'obtiens pas Tokyo, il sera dans tous ses états… Heureusement, il a compris, je crois, que cette histoire m'échappe maintenant.

La seule chose que je peux faire à ce stade pour

Rancourt, c'est m'arranger pour que cet imbécile de Leroux, que j'ai surpris une fois ou deux déjà à user dans sa conversation des « *fins inutiles* », cesse cette intrusion « *chez nous* »... Une lignée, c'est comme la Nation : une volonté d'être ensemble, et rien qu'ensemble.

Mardi 14 novembre 1989

Triomphalement, Leroux m'a apporté, surligné en vert fluorescent, l'un des discours de Ceausescu dont Milescu nous gratifie par pleines brassées chaque mardi matin. Interrogé par le journal du Parti, le *Géant de la pensée danubienne* imputait la chute du Mur à « *l'assaut concerté des médias occidentaux contre le camp socialiste* ». Il annonçait une augmentation considérable des crédits consacrés au brouillage des émissions radio étrangères. « *Nous ne nous laisserons pas intimider par les manœuvres de l'impérialisme* », concluait-il.

J'ai félicité Leroux pour sa perspicacité jamais prise en défaut, non sans lui annoncer que notre ambassade venait précisément de faire un excellent télégramme sur le sujet. Derrière cette déclaration du *Conducator*, j'imagine volontiers la main boudinée de Milescu. Nous ne sommes pas sortis de l'auberge avec notre projet de *Déclaration.*

L'intervention musclée que le Soviétique s'est cru obligé de faire en plénière sur je ne sais quel article en discussion, pour tenter de reprendre son petit monde en main après ce qu'il appelle en privé « *le drame de Berlin* », a été ponctuée par les éclats de rire de moins en moins discrets de mon voisin finlandais.

Quand Grigori a eu lancé, dans un silence de mort, sa dernière phrase, Heikki y a été de deux ou trois battements de ses grosses mains calleuses. Rouge de fureur, l'orateur allait reprendre la parole pour protester. Mais Garrisson ne lui en a pas laissé le temps. Il a annoncé la pause-café. Embusqué on ne sait où, Schuster avait déjà fait débrancher la sonorisation.

Une sorte de ficelle rouge et noire à la place de son éternelle cravate vert trèfle, Pat Callaghan m'a entraîné à part :

— Nous nous sommes séparés hier avec Minerva. Même quand elles parlent un italien magnifique, les Grecques sont impossibles ! En fait, tu avais raison, ce n'était qu'une amourette sans avenir !

Je n'ai aucun souvenir de lui avoir dit quoi que ce soit de semblable. Mgr Macchioli a dit vrai : nous sommes tous un peu déboussolés en ce moment.

Plus belge encore qu'à l'accoutumée, Paul de Geer avait invité quelques collègues à dîner dans un club très fermé de *Regent Street*. Il y avait là Carlos, Ted, mais aussi Vachilev le Bulgare, un journaliste soviétique, le désormais inévitable Mgr Macchioli et deux ou trois autres. À ma demande, il avait bien voulu inviter aussi Zorica. La première fois que nous étions côte à côte en société.

Dans son toast de bienvenue, l'hôte a expliqué les raisons de notre présence ici :

— Les frontières ne passent pas vraiment où l'on croit. Certes les Murs existent, encore que…

Même Vachilev a bien voulu sourire.

— Mais une frontière plus immatérielle, plus infranchissable encore, coupe en deux notre planète : d'un côté, vivent ceux qui savourent et savent le vin, de l'autre, se traîne le reste de l'Humanité. Je souhaitais qu'une fois au moins au cours de notre Conférence, ceux qui sont du bon côté de cette frontière se retrouvent pour célébrer Bacchus et l'ivresse de l'amitié entre initiés.

De sa propriété du Médoc, de Geer avait fait venir des bouteilles à se damner. Pour décrire comme il fallait les propriétés de chaque cru, il a bien voulu parler français.

Non sans surprise, nous avons découvert que le Belge tenait Vachilev pour son maître en œnologie. Ce dernier expliqua qu'il n'en avait aucun mérite. Il avait été quasiment « *élevé en cave* ». Avant la guerre, en effet, son père était maître de chais d'une des plus fameuses propriétés viticoles du pays.

— C'était un vrai communiste, expliqua-t-il. Il faut dire qu'il avait eu les patrons qu'il fallait pour ça ! Des aristocrates qui traitaient leurs manants comme au Moyen Âge. Après la nationalisation des terres, non seulement il a continué, mais il a mis au point de nouveaux crus, un *Château Lénine*, en particulier, qui honnêtement vaut les meilleurs margaux. C'est le vin qu'on sert lors des visites d'État.

Son père avait tenu à ce qu'il fasse une carrière dans la nouvelle administration, mais l'œnologie n'avait jamais cessé d'être sa vraie passion. Ce qui n'était pas anormal, a-t-il souligné, de la part d'un citoyen du pays qui avait inventé la viticulture quatre mille ans avant notre ère.

Vachilev gardait un souvenir ému de la période où il avait été ambassadeur à Paris après avoir fait régime sec au Caire et à Pékin. Jour après jour, il avait pu s'y livrer à des travaux pratiques, dans le Bordelais, tout particulièrement, ainsi que l'attestait le nombre des bourgades de la région jumelées depuis son passage avec des villages bulgares.

Au début, Zorica n'était pas trop à l'aise dans cette

bizarre assemblée. Mais elle avait eu la bonne idée de se laisser emporter par l'ivresse ambiante.

Dans le taxi qui nous ramenait, d'une voix quelque peu pâteuse, elle dressa les portraits croisés de nos deux hôtes, l'aristocrate belge et le prolétaire bulgare.

— De Geer a raison, conclut-elle. Le vin transcende la lutte des classes. Du reste, tu as remarqué, Vachilev et lui ont le nez couperosé exactement pareil.

Mercredi 15 novembre 1989

Après le 10 novembre, le représentant de la RDA a eu deux ou trois jours de passage à vide. Depuis, Hans Muller a retrouvé son assurance. Dans ses interventions en séance, il a un peu assoupli son discours. Sans désormais s'opposer frontalement au compromis un peu mou qui s'esquisse à la Conférence, il n'en continue pas moins à jouer les durs en coulisse.

— La République démocratique a encore de beaux jours devant elle, explique-t-il aux journalistes qui ne cessent de le harceler. On ne peut rien changer au fait que nous avons vécu quarante ans séparés. Nous avons notre propre système de valeurs, auquel, qu'on le veuille ou non, la majorité de la population est attachée, même si elle veut des réformes et davantage de biens de consommation.

Selon Zorica, ce n'est pas ce qu'il pense en son for intérieur. Des conversations qu'elle a eues avec lui, elle a tiré la conclusion qu'il jugeait la situation plus que préoccupante.

Le Secrétaire général de l'organisation estime désormais que la Conférence devrait aller nettement plus loin que prévu. En envoyant à Londres un homme en qui il avait pleine confiance, Gorbatchev espérait que, sur le créneau hautement symbolique des médias, les résultats de Londres feraient apparaître aux opinions occidentales la réalité de la *perestroïka*. L'issue de la bataille était hasardeuse. Victor Malevitch avait en face de lui Grigori Akhmanov, un poids lourd du système, un dur appuyé par tout l'appareil conservateur. Par son courage et son habileté, vu aussi les circonstances bien sûr, Malevitch était apparemment en train de gagner. « *Ce qui n'était pas du tout acquis au départ.* »

Que Schuster ne mette pas ces propos au conditionnel mérite d'être relevé.

Mgr Macchioli est venu jusqu'à ma place dans l'hémicycle. Il s'est penché vers moi et a chuchoté :

— Soyez un tout petit peu prudent avec Schuster ! Conseil d'ami. Notre Secrétaire général est un homme remarquable, mais nul ne sait au juste dans quelles eaux il nage. Ni pour qui !

Une intervention pour le moins insolite venant de la part d'un homme de Dieu qui, jusqu'à la chute du Mur, semblait plongé à temps plein dans ses grimoires.

Depuis quelque temps, on voit beaucoup notre « *expert en presse écrite* », alias Kugelman, traîner au bureau de notre délégation. Quand je lui en ai fait la remarque, Claudine a rougi jusqu'aux oreilles. Je n'avais pas noté jusqu'alors qu'elle les avait fort jolies.

À en juger par les prunelles brillantes qu'arborent depuis le 10 novembre Mgr Macchioli, Kratowski et consorts, la chute du Mur est une manifestation éclatante de la toute-puissance divine. La Sainte Chute du Mur en quelque sorte. L'hypothèse n'est pas si absurde puisque nous avons pris aujourd'hui, Carlos et moi, une décision qui elle aussi s'inscrit très évidemment dans la catégorie du miraculeux.

L'un comme l'autre, nous étions arrivés à Londres avec l'idée bien arrêtée de nous impliquer le moins possible dans la conférence de pure forme où nous nous trouvions projetés à notre corps défendant. Le service minimum, quoi ! Et voici qu'en parlant ce matin, l'envie nous a pris tout à coup de constituer un groupe discret qui réfléchirait à ce que pourrait être une *Déclaration européenne sur l'Information* digne de ce nom. En demandant à quatre ou cinq collègues de travailler avec nous. Histoire d'être prêts si d'aventure il devenait possible de substituer au document inconsistant que nous étions en train de discuter, un texte proclamant et organisant la liberté des médias sur notre continent. Et la grâce de Dieu nous habitait assez tous les deux pour que nous ne nous soyons même pas senti le besoin d'ajouter le rituel : à toutes fins inutiles...

Il ne fallait pas pour autant, avons-nous convenu, laisser échapper à notre juste courroux Milescu et ses pareils, auxquels nous avions eu le tort de ne plus nous intéresser assez depuis la chute du Mur.

Fréquenter Shakespeare offre de multiples avantages, maintes fois analysés dans la littérature spécialisée. Je ne suis pas sûr qu'on ait assez attiré l'attention sur l'aide qu'on y peut trouver pour se convaincre de la réalité des tournants de l'Histoire. Dans la grande salle du *Barbican*, malgré une mise en scène plutôt poussiéreuse, le *Roi Lear* nous a fourni des lunettes pour nous convaincre de la réalité du spectacle insensé qui se déroule en ce moment dehors. Sous nos yeux.

— Ce n'est pas un hasard, m'a fait remarquer Zorica

à l'entracte, si Shakespeare est l'auteur préféré de Karl Marx.

J'imagine que Zorica est la dernière en Europe à parler de Marx comme d'un vivant. Sentant sans doute ma remarque poindre, elle a ajouté :

— J'ai passé avec lui cinq ans, jour après jour, pendant que je travaillais à ma thèse. Plus qu'avec n'importe quel homme ! Si j'excepte, bien sûr, le père de mes enfants.

La première fois qu'il prenait part à nos conversations, celui-là !

En sortant du *Barbican*, nous sommes tombés comme de juste sur Coriolis et sa camarade, Mary, Jane ou je ne sais quoi, mais Brontë, ça, c'est sûr. Ils nous ont proposé de les accompagner dans un *Fish and Chips* du quartier. Comme cela lui arrive de plus en plus souvent, Zorica avait faim, et l'envie de découvrir de nouveaux endroits. Nous nous sommes donc retrouvés dans une ambiance de graillons, assis devant une table en formica éclairée par des tubes néon des années 50. Je devais avoir l'air si furieux que Zorica n'a pu s'empêcher de s'esclaffer : « *Mais tu es aussi l'ambassadeur des French Fries, non ?* » Ce coup de patte idiot m'a fait sourire. Décidément, je file un mauvais coton.

Coriolis a impressionné Zorica quand il a raconté qu'il avait joué dans un téléfilm retraçant la vie de Marx. Engels, il est vrai, mais quand même.

Jeudi 16 novembre 1989

Mon télégramme relatif aux incidences de la chute du Mur sur le déroulement de notre Conférence me vaut une nouvelle fois la hargne du Directeur d'Europe. Celui-ci n'a pas avalé en particulier que, moi un non-spécialiste, j'aie l'outrecuidance d'avancer qu'un dur à cuire comme Hans Muller éprouvait désormais de sérieuses inquiétudes sur l'avenir de la dictature du prolétariat en RDA. Il est vrai que, *gentleman* comme diraient Sybil et Elsa, je n'ai pas cité mes sources privilégiées... Dans une dépêche à tous nos postes, Bourrelier s'est cru obligé de mettre en garde contre le « *wishfull thinking* » irresponsable de certains. L'équipe d'Egon Krenz, rappelle-t-il, dispose d'une impressionnante palette de moyens pour maintenir l'ordre. Plus important encore, dans ses profondeurs, la population redoute une éventuelle fusion avec la RFA qui signifierait la fin d'acquis sociaux incontestables. C'est, du reste, conclut-il, ce que pensent la plupart de nos interlocuteurs à Bonn.

Cette dernière affirmation, que j'ai rapportée à Werner, l'a fait éclater de rire :

— Sauf ton copain Bourrelier, tout le monde a compris maintenant que les nouvelles autorités de Berlin *pédalent dans la choucroute.*

Il adore utiliser devant moi des expressions de ce genre, apprises du temps où il était étudiant à Sciences-Po. Il faut reconnaître que les occasions de sortir celle-là ne manquent pas en ce moment.

Parce qu'on commence à se connaître et qu'il y a même maintenant entre nous une certaine complicité, il a ajouté qu'à Bonn, on ne savait pas trop comment réagir face à l'évolution accélérée de la situation. Jamais aucun plan n'avait été élaboré pour affronter l'hypothèse, jugée évidemment absurde par tout le monde, d'une chute brutale du Mur. Le gouvernement en était donc réduit aujourd'hui à naviguer à l'estime entre les récifs. Pas besoin de dire qu'à ce stade, le Chancelier et son ministre des Affaires étrangères, par exemple, n'avaient pas vraiment la même approche.

— Je suis sûr, a-t-il conclu, que vous, les Français, vous

apprécierez que les Allemands soient contraints d'apprendre à improviser.

Cravaté de bleu, la couleur de la vierge, l'homme de Solidarnosc est sur un petit nuage :

— Solowski, mon sinistre alter ego, ne cherche plus à se battre, ni même à faire illusion. Lui et ses camarades ont compris qu'ils ne sont plus là que pour la figuration. La prochaine crue les entraînera dans les poubelles de l'Histoire. Non ! Compte tenu de leur nombre, il faut plutôt parler de champs d'arpentage.

Kratowski s'est arrêté net, pas sûr que j'avais bien saisi ses paroles.

— Épandage, ai-je corrigé avant d'esquisser le sourire complice qu'il attendait.

— Il n'y a pratiquement plus de ministère des Affaires étrangères à Varsovie, a-t-il repris. C'est moi qui me donne à moi-même mes instructions. Honnêtement, c'est mieux ainsi. Pour la Pologne, pour la Conférence. Et ça cadre nettement mieux avec le budget misérable qu'on a alloué à notre délégation !

Je lui ai soumis notre idée, à Carlos et à moi, de constituer un groupe de travail informel où nous pourrions, à quelques-uns, réfléchir à un infléchissement éventuel de notre Conférence à la lumière des événements en cours. Il a été tout de suite partant. L'idée que l'homme de Gorbatchev travaille avec nous, ainsi que Zorica Belavic et la Suédoise, lui a paru excellente.

Après la mort brutale à Sofia de ce pauvre Planchon, Claudine espérait qu'on lui donnerait le poste. Elle a vraiment mérité cette ambassade ! Et elle parle bulgare parfaitement. Manque de veine, un proche de Madame la Présidente, qui avait l'envie de voir du pays, passait justement *par là*. Claudine a accueilli la nouvelle avec philosophie : « *Ça m'apprendra à ne pas passer par là où il faut.* » Pour la consoler, Kugelman, envers qui elle ne cache plus en public ses sentiments, va l'emmener quelques jours dans je ne sais quelle île irlandaise.

J'avais oublié mon manuscrit nippon. C'est Zorica qui l'a déniché sous une pile de dossiers en cherchant je ne sais quel bouquin sur le bureau de ma chambre. Je lui ai expliqué les origines et les avatars de ce travail. En impénitente bonne élève qu'elle est restée, elle s'est étonnée sans indulgence de ma nonchalance alors qu'à l'évidence ce texte revêtait une vraie importance pour moi.

— Si tu avais été au bout, tu serais plus décontracté face aux péripéties de ta prochaine nomination, a-t-elle tranché.

Il arrive que je la haïsse de toutes mes forces.

Vendredi 17 novembre 1989

Emportés par leur furie libertaire, les jeunes gens de la mouvance Gorbatchev ne prennent désormais plus de gants. Ainsi cet après-midi Victor Malevitch à la sous-commission sur les conditions de travail des journalistes. Il a commencé son intervention en lisant le texte préparé par les vieux routiers brejnéviens de la délégation. La vulgate bien connue sur la non-ingérence dans les affaires intérieures. Sa voix devenait de plus en plus inaudible. D'un geste violent, il a soudain jeté à terre les feuillets qu'on lui avait remis, et il s'est lancé dans une improvisation échevelée sur le lien étroit existant entre progrès économique et social, et développement des médias :

— La liberté de l'information est la conséquence

naturelle de la *glasnost*[1], l'oxygène indispensable de tout processus démocratique...

Pour se convaincre de la vérité de ce qu'il disait, il martelait la table de son poing, sans voir les visages horrifiés de ses camarades. Il a continué longtemps ainsi, visiblement inspiré. Un membre de la délégation a fini par s'éclipser, sans doute pour aller prévenir qui de droit du sacrilège en train de se commettre. Malevitch n'en a pas moins été jusqu'au bout, de plus en plus possédé par son sujet. La salle l'a longuement applaudi, une première dans ce genre d'endroits... Visage fermé, plusieurs des membres de sa délégation ont quitté la salle.

Je n'ai pu m'empêcher d'écrire quelques lignes à Paris sur cette intervention et les réactions qu'elle a suscitées. Pour rentrer dans le chou du bon Directeur d'Europe, qui persiste à ne rien voir rien comprendre, mais aussi parce que, je dois le reconnaître, je commence à m'impliquer dans toutes ces histoires.

Depuis que je lui ai proposé de participer à la rédaction du texte d'une *Déclaration* digne de ce nom, Kratowski ne cesse de tourner autour de moi. Il m'a raconté comment le jeune universitaire qu'il était, spécialiste de Byzance – « *l'une des rares plages de l'Histoire*, rigole-t-il, *où les modalités de la lutte des classes sont autorisées à rester un peu confuses* » –, avait dès le début rejoint Solidarnosc. Il m'a aussi expliqué comment, sur décision personnelle de Jean-Paul II, l'abbé Macchioli avait été à cette époque affecté à la nonciature de Varsovie sans que la police sache que le jeune Italien parlait le polonais. Durant plusieurs années, il avait été le principal contact du Vatican avec

[1] La *transparence*, l'un des axes de la politique mise en œuvre par Gorbatchev à partir de son accession au poste de Secrétaire général du Parti en 1985. (*Note de l'Éditeur*)

Solidarnosc. Enfin identifié, on l'avait mis dans le premier avion. C'est alors que le Saint-Siège l'avait nommé observateur auprès de la CSCE, un travail peu prenant qui lui avait permis de revenir à la théologie, sa vraie passion.

Avant de partir pour son île irlandaise, Claudine m'a fait rencontrer l'un de ses amis qui habite Berlin-Ouest et avait vécu les événements en direct. Sa plus grande surprise avait été la transformation immédiate des tristement fameux *vopos* postés à la frontière. Dans leurs versions mâle aussi bien que femelle, ils s'étaient toujours montrés les dignes successeurs des Kapos du Troisième Reich. Habitués, de dessous leurs casquettes verdâtres, à insulter les voyageurs, même quand ils étaient munis de tous les tampons nécessaires, en un clin d'œil ils s'étaient transformés en *gentils organisateurs* à la disposition de tous ceux qui passaient, dans un sens comme dans l'autre. Certains avaient même poussé la complaisance jusqu'à se munir du plan du métro et des rues pour répondre aux demandes de renseignements des touristes. Des initiatives évidemment spontanées : démoralisée et absente, leur hiérarchie aurait été bien infoutue de leur donner la moindre consigne.

Que ces gens veuillent éviter d'insulter l'avenir, bien sûr. Mais plus profondément, comme l'a fait remarquer Claudine, ce changement radical d'attitude posait la question de la plasticité de la nature humaine. Pour le pire, on le savait, pour le meilleur, la démonstration avait rarement l'occasion d'en être faite.

Samedi 18 novembre 1989

Cinquante mille étudiants sur la place Wenceslas à Prague. La routine ou presque depuis un mois. Mais cette fois-ci, la police a tiré sur ces « *éléments antisocialistes mus par la volonté de déstabiliser le pays* », propos du vice-ministre de l'Intérieur rapportés par la BBC. Pas de morts, par miracle, mais de nombreux blessés. Un tournant historique analogue au changement de cap décidé par les autorités chinoises face aux manifestants de Tien An Men ? Ou bien seulement l'attitude d'un imbécile qui n'a pas compris que le vent avait tourné ?

— Ils ne peuvent plus s'en sortir, tranche Zorica.

Elle m'a redit que Hans Muller n'était pas loin de le penser aussi.

— Pour lui, plus que la chute du Mur, ce sont les conditions dans lesquelles tout s'est déroulé qui sont d'une extrême gravité. Le crétin qui a mis le feu aux poudres le 9 novembre en ânonnant en direct devant les caméras de télévision une déclaration sur la libéralisation des voyages à l'étranger n'avait même pas reçu un mandat du Parti. Et il n'y a pas eu un dirigeant pour démentir immédiatement ces propos insanes ! Normal : depuis que Honecker a été poussé à la trappe par Gorbatchev, les démissions, forcées ou pas, se sont succédé aux plus hauts niveaux, laissant s'installer un vide de pouvoir mortel. Il n'y eut personne non plus, la calamiteuse annonce faite, pour donner dans la foulée instruction aux forces de sécurité de se déployer le long du Mur et d'interdire toute sortie. En trois semaines, c'est tout le système qui a implosé.

— L'implosion est le moteur de l'Histoire, soutenait Rancourt, mon premier patron au Quai, ai-je inventé.

Juste pour le plaisir de prononcer son nom devant Zorica.

— Un peu mécaniciste comme approche, a riposté cette dernière en marxiste impénitente, et elle a froncé les sourcils exactement comme j'aime.

Vaclav Vacek toujours aussi poli et distant qu'il y a vingt ans à Tokyo. L'idée même de lui demander ses réactions sur ce qui vient de se passer à Prague ne m'effleure pas. De lui, je ne sais rien, sinon qu'il a fait une partie de ses études à Moscou. Dans les écoles du Parti, on lui a appris à avaler ses émotions. On ne les a évidemment pas préparés, lui et les siens, à affronter une révolution. Du moins la révolution des autres.

Rancourt, décidément très présent aujourd'hui dans ma tête. Pour fermer le bec à un emmerdeur bardé de réminiscences pédantes, il avait jeté : « *Je ne sais pas s'agissant de la Préhistoire, mais l'Histoire, elle, montre que...* » En l'espèce, l'Histoire montre que, quand les réactions des Pouvoirs assiégés se font incohérentes, les assaillants ont gagné.

La rencontre informelle que nous avons montée, Carlos et moi, avec Eva Bengtson, Malevitch, Kratowski et Zorica s'est encore mieux déroulée que prévu. Nous avons tous été d'accord pour rédiger, dans la plus grande confidentialité, un document ambitieux qui poserait les grandes lignes d'un *nouvel ordre européen de l'information.* Si les avancées enregistrées sur les divers points techniques inscrits à l'ordre du jour de la Conférence se poursuivaient, le moment venu nous déposerions ensemble notre texte sur le bureau de la Conférence.

Nous avons convenu de nous retrouver ici, au *Blue Parrot*, un pub de Pimlico suffisamment à l'écart pour nous éviter des rencontres embarrassantes. Kratowski semble avoir ses habitudes en ce lieu. Il nous a expliqué que c'était là que se tenaient les réunions d'une association de byzantinistes dont il est membre. À observer les visages lisses et les gestes onctueux de la clientèle, je parierais que c'est plutôt un lieu de rendez-vous discret pour curés flingueurs...

Le grand paquebot si blanc dans lequel nous sommes incarcérés depuis bientôt sept semaines n'avait évidemment pas été construit pour prendre la mer. Les circonstances ont fait en sorte qu'un courant irrésistible nous arrache du port. L'eau désormais nous entoure de partout. Nous finirons bien par aborder quelque part. Mais aucun de nous n'est fichu de deviner où.

Dimanche 19 novembre 1989

Sur un banc devant la *Tate*, nous avons aperçu Milescu. C'était la première fois que je le voyais en plein air. Et seul. Malgré le froid et l'obscurité qui tombait, il était plongé dans la lecture du catalogue du musée. À la main, il tenait un cornet de pop-corn où il piochait de temps à temps. J'ai eu presque envie d'aller dire bonjour à cette vieille baderne. D'une voix sans réplique, Zorica m'a lancé :

— Pas de pitié pour les ennemis de la pitié !

Nous nous sommes éloignés d'un bon pas. Plus tard, je me suis demandé s'il n'était pas venu à la *Tate* pour voir les Brancusi qui y sont exposés. Histoire de s'armer contre les ennemis de classe qui se sont mis en tête de ridiculiser son pays à cette Conférence.

Dans un théâtre près de Covent Garden, la *Résistible Ascension d'Arturo Ui*, montée comme le mécanisme d'une horlogerie infernale par des acteurs remarquables. Zorica voulait absolument me faire découvrir cette pièce, qu'elle a jouée étudiante.

Comme nous arrivions dans sa chambre, elle a fait ce commentaire :

— À l'Université, nous étions tous convaincus que, si Brecht avait écrit la pièce avant 1933 et si tous les Allemands avaient été condamnés à la voir, Hitler ne serait jamais arrivé au pouvoir. Comme si les mots à eux seuls étaient susceptibles de changer les idées des gens ! Pas besoin de dire qu'aucun de nous ne songeait à établir le moindre parallèle entre le texte que nous jouions chaque soir et le développement du culte de la personnalité autour de notre leader bien-aimé.

Ces constatations ont paru tout à coup l'accabler. Les yeux perdus dans je ne sais quel rêve, elle me fixait sans me voir, soudain plus belle encore. Comme pour elle-même, enfin elle a murmuré :

— Les mots n'embrayent que sur les cervelles déjà convaincues !

— Je t'aime !

C'était sorti comme une balle du canon d'un revolver. Contre mon gré, contre ma pratique, contre ma déontologie personnelle, bref contre tout ce à quoi je crois en cette vie. Dans le but minable, j'imagine, de savoir de quoi sa cervelle, à elle, était convaincue.

Elle a paru d'abord interloquée. J'ai eu droit enfin à l'un de ses regards graves qui me font un tel chaud jusque dans le dos.

Il y avait tant d'années que je n'avais pas usé du verbe *aimer*, et j'étais si furieux de ce lapsus, que je n'ai pas trouvé le sommeil de la nuit.

Au petit matin, Zorica, qui avait senti que je ne cessais de me retourner, m'a glissé dans l'oreille :

— On convient entre nous que tu n'as rien dit.

Elle m'a embrassé très doucement sur la bouche. Enfin je me suis endormi.

Lundi 20 novembre 1989

Aux informations du matin, des nouvelles assourdies du dîner offert hier à l'Élysée par Mitterrand à ses homologues du Conseil européen qu'il préside durant ce semestre. Facile d'imaginer la scène. La Cène même puisqu'en comptant le président de la Commission européenne, ils étaient Douze autour de Mitterrand. Tout à sa jubilation intérieure, l'énorme Kohl [1] cherche à se faire le plus petit possible. Il sent l'exaspération de Maggie, les préventions de son hôte, le peu d'enthousiasme de tous les convives. Chacun sait que la réunification est inéluctable à plus ou moins court terme. Quatre-vingts millions d'habitants, le mark et le reste, des équilibres géopolitiques totalement chamboulés... En même temps, impossible de ne pas afficher la plus grande allégresse devant les événements en cours ! Et même de ne pas la ressentir, cette allégresse, ce qui ajoute encore à l'exaspération ressentie par les participants à ce dîner d'anthologie.

Pour avoir croisé plusieurs fois ces derniers temps les yeux meurtriers de Thatcher et, sous d'autres cieux, fréquenté de loin en loin le regard comme voilé de Mitterrand, j'imagine le spectacle. La Cène telle que l'ont peinte et repeinte Vinci et les autres ne fait évidemment pas le poids... Ici, la situation recèle assez de vigueur interne pour que la dramaturgie n'exige même pas un traître parmi les Douze.

Pour une fois, c'est moi qui ai adressé la parole à l'homme d'*Acteurs sans frontières* qui traînait dans les couloirs. Sans lui laisser le temps d'ouvrir la bouche, je

[1] Helmut Kohl (né en 1930), Chancelier de la République fédérale allemande de 1982 à 1998. (*Note de l'Éditeur*)

lui ai proposé de traiter ce sujet, ô combien européen et actuel. Que son association mobilise d'urgence ses auteurs et ses interprètes. Elle avait là une occasion rêvée de nous convaincre concrètement de la puissance du théâtre ! Coriolis m'a regardé pour savoir si je me payais sa tête. Comme je ne cillais pas, il m'a lancé : Chiche !

À l'intérieur de la délégation est-allemande, deux jeunes gens ont voulu faire les malins. Au bar, en présence de plusieurs délégués, ils ont affiché ouvertement leur satisfaction devant l'évolution de la situation. Un mouchard traînait par là, et leur ambassadeur les a embarqués sur le premier avion. À Zorica qui s'étonnait, Hans Muller a rétorqué sèchement :

— Que sur le territoire de la République démocratique, on prenne aujourd'hui ce genre de position, très bien ! Puisque les autorités, ou ce qui en tient lieu, ont maintenant la faiblesse de l'accepter, avec la bénédiction de qui nous savons... En service à l'étranger, c'est intolérable ! Moi, en tout cas, je ne l'accepterai jamais. Que le nouveau ministre des Affaires extérieures nomme quelqu'un d'autre à ma place s'il n'est pas content !

La semaine dernière, avec l'incroyable témérité qui caractérise le gorbatchévien de choc qu'il est, Victor Malevitch avait carrément fait sauter une série de réserves soviétiques sur le texte relatif à la liberté de réception des radios étrangères. Grigori Akhmatov avait couru chez Sir Alec lui faire une scène de tous les diables : lui seul avait pouvoir de lever les réserves de sa délégation, qu'on veuille donc bien d'urgence les rétablir ! Dûment chapitré par sa capitale, l'intéressé a dû ce matin, la queue basse, annoncer à la présidence que son pays levait définitivement les réserves en question.

La grisaille désespérante des journées londoniennes de novembre flanque à Carlos de vraies crises de cafard. Quand nous sommes arrivés ce soir au *Blue Parrot*, Eva Bengtson était déjà installée à notre table attitrée, des dossiers soigneusement rangés devant elle. En voyant l'état calamiteux de Carlos, en Suédoise pragmatique, elle lui a offert une leçon d'initiation accélérée aux charmes de ce qu'elle a appelé en français l'*entre chien et loup*.

— Pour vous, les gens du Sud, c'est juste une belle image. Chez nous, les *chiens* et les *loups*, c'est le quotidien. Nous vivons avec et rien n'est plus rassurant, plus reposant, que cette atmosphère cotonneuse dans laquelle nous baignons six mois par an dans mon Norrbotten natal. À condition qu'on ne cherche pas à lui résister, naturellement ! Regarde par la fenêtre, Carlos, et laisse-toi glisser ! Allez ! Regarde dehors et abandonne-toi à ce noir qui est tellement plus fort que toi ! Comme si tu étais dans la mer et que tu te laissais porter par une énorme vague. Ça va mieux ? Bon, maintenant au travail !

Déjà elle avait ouvert l'un de ses dossiers. Sous sa houlette ferme, nous avons encore beaucoup avancé.

Le *Polonais*, soutient Schuster qui s'obstine à appeler ainsi Jean-Paul II, a bien l'intention de récupérer des morceaux de l'Église orthodoxe à la faveur des bouleversements actuels en Europe. Des centaines de prêtres polonais et tchèques parfaitement bilingues seraient prêts, selon lui, à franchir les frontières soviétiques et roumaines dès que l'ordre en viendrait de Rome.

Chacun en ce moment se laisse aller à ses obsessions. L'affrontement millénaire entre Rome et Constantinople aux yeux de Schuster. La franc-maçonnerie pour Kratowski. Deux ou trois fois déjà, il m'a expliqué que le Secrétaire général en était un dignitaire éminent. Il profiterait de ses fonctions pour réensemencer discrètement la maçonnerie dans les pays de l'Est.

— C'est un laïc pur et dur, a-t-il ajouté. Il nous hait. Objectivement, pourtant, c'est un allié. Jusqu'à maintenant du moins.

Les nouvelles lignes de front commencent à s'esquisser.

Mardi 21 novembre 1989

Zorica dort très mal en ce moment. Au petit matin, elle m'a expliqué :

— Il se passe trop de choses en même temps. Chez moi, en Europe, ici... Sans parler de nous.

La journée à Paris pour rencontrer le député Massard, retour d'un long périple en Extrême-Orient. En prévision d'un prochain tête-à-tête avec Mitterrand, dont il est très proche depuis les années de guerre, il souhaitait que nous ayons un échange de vues, comme nous le faisions du temps où j'étais Directeur d'Asie. Un vrai bonheur d'avoir par sa bouche des nouvelles d'un coin où j'ai passé tout de même les deux tiers de ma vie adulte. J'ai pris pourtant plus ou moins conscience en parlant avec lui que mon centre d'intérêt principal en ce moment, c'était cette petite région du monde dont les représentants se démenaient à Londres.

Massard m'a promis d'aborder auprès de qui de droit la question de ma nomination à Tokyo.

Au *Pont Royal* comme chaque fois. Rancourt m'attendait, son verre de whisky déjà vide. Je lui ai offert un joli volume de son cher Tocqueville déniché à Londres pour son quatre-vingtième anniversaire. Je me sentais bizarrement gêné en imaginant ce que cette échéance devait signifier pour lui. Mais il paraissait en grande forme. Tout ce qui se passait sous nos yeux, m'a-t-il affirmé, l'excitait fort. Enfin tout se remettait à bouger. Il était temps. On commençait à avoir des fourmis partout. D'accord, les chiens de faïence s'observant le regard mauvais, c'était mieux que les Cro-Magnon se tapant sur la gueule, mais il y avait un moment où il fallait que les pages se tournent !

Il a redemandé un whisky, ça devait bien être son troisième ou quatrième, pas du tout son genre, de boire ainsi ! Cet anniversaire l'avait plus secoué qu'il voulait bien l'admettre. Il a fini par se décider à entamer son tour du monde accoutumé. L'URSS apparaissait condamnée à terme à devenir un joueur secondaire. Elle était dépassée sans appel dans la course aux armements et sa mainmise sur l'Europe orientale était irrémédiablement condamnée. À l'inverse, les États-Unis, eux, risquaient de perdre la boule. « *On a gagné* », ce cri obscène, il venait de l'entendre dans la bouche de l'un de ses vieux amis du Département d'État. L'Europe de Bruxelles, elle, allait s'empêtrer dans ses problèmes de frontières et de partenariat. D'élargissement même à terme, car l'idée allait évidemment germer de l'autre côté du ci-devant Rideau de fer. Bref, des réalités géopolitiques radicalement différentes étaient en train de se mettre en place. Mais on savait déjà que, demain comme hier, personne ne se soucierait des vrais problèmes d'une planète appelée bientôt à nourrir et éduquer dix milliards d'humains : l'épuisement des ressources, la pollution, les inégalités croissantes et le reste. Pour ne pas parler du manque de sens qui s'insinuait partout dans les têtes.

— Bien sûr, il sera trop tard quand nous nous réveillerons. Enfin, pas moi, ni même vous. Ceux d'après !

Quand il a vu mon air embarrassé devant son inhabituelle logorrhée, il a lancé :

— Il est temps de boucler la boucle, Tromelin. Vous vous rappelez mon premier conseil quand vous êtes entré au Département : méfiez-vous des jeunes ! Bon ! Eh bien, voici le dernier : méfiez-vous des vieux !

Nous avons fait comme si ça méritait nos rires, mais le cœur n'y était pas.

— Profitez bien de vos derniers instants de guerre froide ! a-t-il lancé alors que je le laissais à ses lumières tamisées pour courir vers l'aéroport.

Pas même eu la tentation durant ces quelques heures parisiennes de passer un coup de fil à Setsuko. Plus vraiment besoin, pour reprendre son expression méchante, d'un *intermède asiatique*. Pas même l'envie d'apercevoir celle qui est devenue ma fille, trop grande et vaccinée désormais pour avoir besoin de croiser son géniteur.

À une heure du matin de retour au *Carlton*. L'envie irrépressible d'aller dire bonsoir à Zorica. Mais la répression est précisément faite pour ce genre de situations.

Mercredi 22 novembre 1989

Il n'était question ce matin que de l'incident survenu hier au dîner organisé par Sir Alec dans un prestigieux hôtel de la capitale. Contre les avis répétés de Garrisson, celui-ci s'était mis en tête de concocter un plan de table à sa façon. Nul n'aurait l'audace, pensait-il, de contester en ce domaine les intuitions d'un membre de la Chambre des Lords. Plusieurs de mes éminents collègues se sont, pourtant, formalisés des entorses faites aux règles immuables du protocole diplomatique. L'un d'eux a même invoqué une soudaine indisposition pour prendre le large.

Claudine me représentait à ce repas de fauves. Comme elle me l'a raconté d'une voix amusée, elle n'avait pu à son grand regret contribuer au désordre. Elle était assise en bout de table, dans la cohorte des *numéros 2*, et personne n'aurait entendu une protestation de sa part. Toujours aussi sérieuse et parfaite, elle commence à assumer la part de ludique qu'elle refoulait jusqu'ici dans je ne sais laquelle de ses soutes.

De la bourde protocolaire de Sir Alec, Schuster faisait des gorges chaudes. « *Il n'en loupe pas une, celui-là !* » Il a profité de notre conversation pour, une fois de plus, laisser tomber une remarque déplaisante sur Mgr Macchioli, qui venait d'être appelé en catastrophe à Rome « *pour consultation* » :

— Je me demande vraiment ce que le Saint-Siège mijote. Le *Polonais* ne se sent plus pisser en ce moment !

Lui, si convenable et prudent en toutes circonstances, il perd toute mesure dès qu'il s'agit de ceux qu'il appelle « *les bêtes à Bon Dieu* ».

D'habitude vêtue de façon plutôt stricte, Zorica avait décidé aujourd'hui de porter en séance le pull noir et blanc que je lui ai offert. Au bar, Elsa s'est approchée de moi et en souriant elle m'a murmuré :

— C'est vous qui aviez raison, mon cher ambassadeur, ce genre de pulls se porte très large. Rassurez-vous, comme on vous l'a dit, on est des gentlemen !

Déjà elle était loin. Ses pommettes saillantes et ses yeux en amandes lui donnent, elle le sait, le droit de se payer impunément ma tête.

Il n'est pas exclu, ainsi que le soutiennent ses collaborateurs mal intentionnés, que Harry Marx n'ait eu vent qu'à Londres de l'existence de Karl. En tout cas, il apprend vite. Je lui avais conseillé d'aller marcher au cimetière d'Hillgate, ce qu'il a fait. En me remerciant aujourd'hui, il m'a dit assez drôlement :

— Vous ne trouvez pas que, cravaté et empesé comme on le voit sur les photos, il fait beaucoup plus *patron* que moi ?

Difficile effectivement de comprendre comment, depuis un siècle, les mineurs de fond et les chauffeurs de locomotives *de tous les pays du monde* s'identifient à ce beau vieillard aux mains blanches qui préside à tous leurs meetings.

Une fois de plus, la remarque de Harry est pertinente. Si ça continue, nous finirons par causer ensemble du troisième membre de la famille, Groucho, pas le moins intéressant de la bande.

Comme tous les adolescents un tant soit peu romantiques, depuis notre premier week-end ensemble, nous disposons d'un lieu de rendez-vous rien qu'à nous. Fabuleux cabinet de curiosités, le *Soane Museum* a eu de surcroît l'intelligence de se placer sur la ligne d'autobus qui passe à cinquante mètres du Centre de conférences.

Une règle s'est tout de suite imposée : le premier arrivé s'installe à l'endroit de la maison où il veut ce jour-là faire partager à l'autre quelque chose qui le touche spécialement. Je sais que j'ai de grandes chances de retrouver Zorica dans les salles où est accrochée l'incroyable collection de gravures sur les villes utopiques. Elle me cherche plutôt du côté des camées du Bas-Empire ou des chevaux Ming. Nous finissons toujours par tomber l'un sur l'autre. Épaule contre épaule, nous partons dans le dédale des escaliers vers de nouvelles découvertes. Et, chemin faisant, pour reprendre une expression qu'elle affectionne, nous parlons « *de nous et de rien* ».

Autant de fois qu'il le faut, nous prenons acte que nous sommes bien ensemble. Aujourd'hui, le constat a été assez convaincant pour que nous ne repassions pas à la Conférence.

Jeudi 23 novembre 1989

Dans la tribune diplomatique jusqu'à présent déserte, a pris place un observateur de l'ambassade de Chine. Un jeune homme à grosses lunettes d'écaille qui prend des notes sans parler à quiconque. J'imagine que la chute du Mur et de leurs anciens amis Honecker et consorts a suffisamment titillé les autorités de Pékin pour les pousser à installer leurs oreilles partout où se trament des changements. Carlos n'a pu s'empêcher d'aller parler avec lui. Le garçon lui a paru comprendre assez bien ce qui se passait à notre Conférence, et en même temps rester souverainement indifférent aux enjeux de toute cette agitation. L'attitude que j'ai eue pendant la Révolution culturelle, passée l'excitation des premiers mois… Pas de doute, a résumé Carlos, pour ce type, ici, ce n'est pas chez lui !

Au détour d'un couloir, Minerva Andropoulos, tout croupion dehors à son habitude, m'a arrêté.

— Une belle ordure, votre ami Pat ! m'a-t-elle jeté, l'œil noir. Mais il ne l'emportera pas au Paradis !

Il y a beau temps que je ne m'intéresse plus à ce que les gens emporteront au Paradis. Mais le bon Pat, si roux et si rouge, ne mérite pas qu'on lui bousille son repos éternel.

En marge de nos rencontres de travail au *Blue Parrot*, Victor Malevitch m'a raconté sa base de lancement de fusées au fond de la Sibérie. La passion qui l'avait porté après l'Université vers ce coin désolé, au milieu d'une flopée de gens remarquables. Et le désenchantement peu à peu à voir les nominations strictement politiciennes dans les postes de pouvoir, les mœurs de forban des responsables du Parti, l'élimination de personnalités coupables non pas de dissidence, simplement de mise en cause de choix techniques aberrants.

Comme bien d'autres, il n'avait d'abord pas cru que le nouveau patron du Kremlin voulait sérieusement s'attaquer au système. Mais il avait dû reconnaître que les méthodes changeaient, y compris dans la gestion du cosmodrome où il travaillait. Il avait donc répondu positivement à la demande de l'un de ses professeurs d'université de rejoindre l'entourage de Gorbatchev. Au grand dam de Zorica, il ne pouvait s'empêcher d'appeler ce dernier le *Guensek* – ce titre de *Secrétaire général* sous lequel Staline avait esclavagisé le Parti et le pays.

Malevitch avait été nommé dans la petite équipe chargée de mettre en œuvre la réforme de la politique de l'information en URSS. C'est là qu'il avait fait la connaissance de Sakharov [1], qui lui avait donné non seulement du courage, mais de précieux conseils pour se lancer dans la bagarre.

[1] Physicien éminent et l'un des pères de la bombe H soviétique, Andreï Sakharov (1921-1989) a été l'une des figures de proue de la *dissidence*. Prix Nobel de la Paix en 1975, il connut les procès, les prisons et les assignations à résidence. Gorbatchev l'autorisa à rentrer à Moscou, et le laissa intervenir, de façon souvent très polémique, dans les débats de la *perestroïka*. (*Note de l'Éditeur*)

Car la lutte avait été, et était toujours, au couteau. Si Gorbatchev avait vite compris que l'information était un levier essentiel pour mener à bien la *perestroïka*, ses ennemis en avaient tout aussi claire conscience. Dans le pays, heureusement, les initiatives s'étaient multipliées pour infiltrer les médias anciens et en lancer de nouveaux. Ça commençait à être la belle cacophonie dont l'Union soviétique avait si grand besoin pour repartir sur des bases plus saines. Les salauds n'en étaient pas moins embusqués partout, bien décidés à faire dérailler le nouvel ordre des choses.

Pour survivre à notre Conférence, Malevitch devait en permanence mobiliser ses amis moscovites, y compris Sakharov lui-même qui était devenu comme son père spirituel. Car Grigori et ses nervis ne cessaient de s'agiter pour lui faire la peau.

Il m'aura fallu trois bonnes semaines pour découvrir le grain de beauté de Zorica juste derrière l'oreille gauche.

Vendredi 24 novembre 1989

Convoqué à Bucarest pour une réunion du Comité central, Milescu a pour la première fois cédé la place à celui que chacun appelle, tant il a le format et le charme de son chef, le « *jumeau* ». Ce qui n'est pas tout à fait exact puisque, comme dès le départ me l'avait fait remarquer Claudine, il arbore en plus un sourire de traître de comédie en tous points semblable à celui de Ceausescu. Sans doute s'est-il exercé des années durant devant un miroir, une photo de son modèle punaisée derrière lui.

Toute la journée, le jumeau est resté silencieux. Mais

lorsqu'il a fallu voter sur l'adoption de je ne sais quel article, en même temps qu'il levait sa pancarte, il a crié un *Niet* si fougueux que les rires ont fusé sur beaucoup de bancs. On était tellement habitué à ce que les Roumains disent leurs *Non* en français... Corneliu a fait toutes ses études à Moscou, m'a expliqué Claudine, c'était même l'un des espoirs des services soviétiques en Roumanie. Il a dû faire longtemps son autocritique avant d'obtenir à nouveau le droit de retourner à l'étranger. Mais on ne lave jamais assez un cerveau, et Milescu l'a constamment à l'œil.

Selon l'Helvète qui, pour cause de guerre gagnée de conserve, continue à entretenir une relation privilégiée avec elle, Margaret Thatcher est convaincue que, de même que l'affaire des Malouines a entraîné la chute du régime militaire argentin, de même la fermeté qu'elle affiche face à Moscou depuis son entrée en fonction va contribuer à la défaite définitive du communisme. Elle suit très attentivement la progression de nos travaux, et elle espère bien tirer les bénéfices des progrès accomplis quand elle clôturera la Conférence. Même si elle feint de mépriser ce qu'elle appelle invariablement les « *entrechats des diplomates* ».

— La révolte couve chez les apparatchiks des pays frères, m'a confié le jeune Leroux, à mi-voix tant on lui a appris que les oreilles ennemies traînaient partout. Je le tiens d'un collègue de l'Est que je fréquente depuis la première Conférence d'Helsinki. Avec toute la prudence nécessaire, rassurez-vous, Monsieur l'ambassadeur. Ce collègue m'a cité le mot d'un de ses camarades qui a longtemps servi à Alger : « *Nous ne serons pas les harkis des Russes !* »

Deux ou trois fois, avec un gentil sourire, Claudine m'a

parlé de ce Polonais, un certain Witold. Comme Leroux, il suit le dossier de la CSCE depuis les tout débuts, et les deux hommes entretiennent des rapports aussi circonspects qu'attentionnés.

— Compte tenu de l'évolution accélérée de la situation internationale, a-t-elle précisé il y a peu, je n'écarte pas l'idée que ces deux adorables garçons en arrivent enfin à lier vraiment connaissance à Londres.

Nos discrètes soirées de travail au *Blue Parrot* ont accouché d'un texte qui répond à peu près à nos ambitions. Chacun a apporté sa pierre, même moi qui, tout comme Carlos, ne sais rien de ces choses, et en plus, contrairement à lui, manque totalement d'esprit pratique. Le plus difficile à maîtriser dans notre petit groupe a été Malevitch, inquiétant dans sa volonté de toujours pousser le bouchon plus loin. Arguant de sa pratique des lancements de satellites, il répète qu'il faut « *profiter des fenêtres de tir* ». Paradoxalement, c'est Kratowski qui s'est employé à le modérer, en mettant en avant, lui, la dure expérience apprise dans les rangs de Solidarnosc. Le ton est parfois monté entre eux, mais Zorica a l'autorité qu'il faut pour mettre un terme à ce qu'elle appelle « *vos histoires slaves qui n'intéressent personne* ».

Samedi 25 novembre 1989

Ceausescu réélu à l'unanimité secrétaire général du Parti. Pas une seule petite voix déviante ne s'est fait entendre, contrairement à ce qui s'est passé ces derniers mois dans les autres démocraties populaires, et jusqu'en Bulgarie. Notre collègue Milescu a donc épatamment accompli son devoir. J'aurais bien aimé le voir à Bucarest, entouré de tous ses petits camarades, en train de boire à la réélection triomphale du *héros de la pensée danubienne.*

Ces derniers temps, j'ai oublié de lui envoyer dans les gencives mes proverbes de derrière les Carpates ! Hier, Mgr Macchioli m'en a fait souvenir en me remettant, plié en quatre, un papier sur lequel, d'une belle écriture de copiste, il avait noté les vers de divers poètes roumains. Il a ajouté :

— Il vaut mieux que ce soit vous qui les récitiez. Milescu est habitué au timbre de votre voix maintenant.

Mgr Macchioli est plus qu'à plein temps dans notre Conférence depuis que Dieu, dans sa sagesse, a décidé de faire tomber les murailles de Berlin.

Massard a vu Mitterrand pour lui parler de son périple asiatique. Comme convenu, il a plaidé en ma faveur. L'autre a paru étonné que son conseiller diplomatique songe à le quitter, et il a noté sur un bristol *Tokyo* avec un point d'interrogation. Ou d'exclamation, Massard ne se souvenait plus.

Lettre de l'ami Hitoschi. Ayant appris, sans doute par Setsuko, que je séjournais à Londres, il me demande ce que font les Anglais pour protéger la vie de Salman Rushdie. Il vient d'achever la traduction japonaise des *Versets sataniques.* Il sait évidemment que la fatwa de Khomeiny condamnant à mort l'auteur s'applique à tous ses complices, éditeurs, traducteurs ou diffuseurs[1]. Bien

[1] *Les Versets sataniques,* le roman de l'écrivain anglais d'origine indienne Salman Rushdie paru en 1988, avait fait l'objet d'une *fatwa* de l'iman Khomeiny appelant « *tout musulman zélé à exécuter rapidement le blasphémateur Rushdie et ses complices où qu'ils soient* ». Iragashi Hitoschi, le traducteur du livre en japonais, faisait donc officiellement partie des gens à abattre. (*Note de l'Éditeur*)

entendu, la police japonaise ne prend pas au sérieux ces menaces alors même qu'il a déjà reçu une série de lettres en ce sens. « *Ce n'est pas pour moi que j'ai peur. Je suis loin de la capitale et inconnu des médias. Mais l'inquiétude de mes proches commence à me tarauder.* »

Dimanche 26 novembre 1989

Journée au lit. Pour changer, nous nous sommes installés dans ma chambre. Soleil et ciel bleu délavés de l'autre côté des vitres, aucune envie pourtant de croiser le monde extérieur.

Un appel de Setsuko. Le bonjour de routine, une allusion aux inquiétudes d'Hitoshi et les inévitables bisous à la clef. L'occasion, une fois raccroché, de parler d'elle et de quelques autres à Zorica. Des histoires de martiens à ses yeux :

— Remarque que j'ai toujours bien aimé les petits hommes verts. Alors pourquoi pas tes grandes femmes lianes !

Malgré mes invites, de ses hommes à elle, visiblement elle ne souhaitait pas parler.

À tour de rôle, nous avons lu à haute voix le roman de Kadaré que j'avais apporté de Paris. Une manière de passer notre dimanche à crapahuter ensemble dans les Balkans. Deux ou trois fois, elle a reconnu sans trop se forcer que ces salauds d'Albanais ne manquaient pas de souffle. Le livre fermé, elle s'est décidée :

— Mon premier amant venait du fin fond de la province du Kosovo. C'était un de mes profs de marxisme-léninisme à l'université de Sarajevo. Un type qui me plaisait bien. Pour me sentir plus près de lui, j'avais même appris son impossible dialecte albanais. Avec des consonnes mouillées comme s'il en pleuvait. Nul ne pourra dire que je n'ai pas tout fait pour être une bonne Yougoslave !

— Et une bonne communiste, ai-je ajouté mécaniquement.

Sans un mot, elle a ramassé ses cliques et ses claques, et m'a planté là. Une heure plus tard, la corde au cou, j'ai été frapper à sa porte. Réconciliation scellée, elle m'a expliqué que, quelques années après leur séparation, son prof s'était retrouvé devant un tribunal pour déviationnisme. Il était mort dans un camp de rééducation. Toujours communiste, bien sûr.

Elle a conclu, d'une voix qu'elle voulait distanciée :

— « *La tragédie de l'Histoire* » ! Je ne suis pas sûre que pour vous, l'expression ait la même inimitable saveur que pour nous.

Lundi 27 novembre 1989

Juste avant l'ouverture de la séance du matin, j'ai eu la surprise de voir débarquer, tout sourire, Didier Pierrelatte, l'éminence de la presse parisienne. Je pensais qu'il avait fait une croix définitive sur notre Conférence. Cette fois-ci, il a pris le temps de parler avec moi. Les évolutions en cours paraissaient réellement l'intéresser, et j'ai répondu à ses questions avec une patience méritoire. Soudain, abruptement, il m'a demandé ce qu'il en était de ce groupe de rédaction officieux dont il avait entendu parler. Il en a évidemment été pour ses frais. En prenant congé, il a laissé tomber négligemment :

— Il ne faudrait pas que, dans le nouveau contexte politique, que nous attendions tous avec impatience, on en arrive au résultat paradoxal de soumettre la presse des pays libres à de nouvelles contraintes. Je sais, par exemple, que le jeune protégé de Gorbatchev, l'âme de la délégation soviétique, Malevitch ou un nom comme ça, tient absolument à introduire une disposition sur la limitation de la concentration dans les médias. Ce serait un comble, tout de même, que le pays de la *Pravda* veuille nous donner des leçons !

Milescu est la conscience politique faite homme. L'idée de laisser son jumeau tout seul à Londres devait le rendre malade. À l'ouverture de notre réunion cet après-midi, il était de retour, assis de tout son poids, sa pancarte à portée de main. Une heure plus tard déjà, il avait trouvé le moyen de l'agiter pour faire dérailler une nouvelle fois nos travaux. Tour à tour, Carlos, Heikki et moi, nous lui avons répondu avec l'une des citations roumaines fournies par Mgr Macchioli. Il a pris cette dégelée de pommes pourries avec la sérénité de quelqu'un qui vient de voir son Dieu triomphalement plébiscité.

Pour la première fois, le Secrétaire général de l'organisation, entre deux gestes compulsifs pour remonter sa mèche poivre et sel, a fait allusion devant moi au minuscule combat que nous sommes quelques-uns à mener contre la délégation roumaine.

— L'important, c'est de tenir la distance. Persévérez jusqu'à la fin de la Conférence, hein ! J'aimerais tellement, une fois au moins, voir Milescu perdre son sang-froid.

Schuster s'est tâté un instant pour déterminer s'il n'allait pas commettre une bêtise immense en me confiant son secret. Et puis il a haussé les épaules :

— Il se trouve que Milescu est originaire de la bourgade de Transylvanie où ma famille a vécu cinq ou six siècles avant d'être priée en 1945 de regagner son point de départ.

Je n'en ai pas la moindre preuve, mais j'ai la conviction que ce voyou s'est fait attribuer notre vieille maison. Chacun ses fantasmes. Continuez votre travail de sape, hein !

Avant de s'endormir, Zorica a absolument tenu à me raconter une histoire qui n'arrivait pas à lui sortir de la tête :

— Quand j'étais à Berlin, a-t-elle commencé, il a bien fallu que je m'intéresse à la chasse. En hiver, Honecker et quelques autres invitent volontiers les ambassadeurs dans les datchas que possède l'appareil d'État un peu partout en pleine forêt. C'est l'une des rares occasions où il arrive aux hiérarques, après un dîner bien arrosé, de parler autre chose que langue de bois.

« Dans la petite aube blafarde, je laissais le petit monde des chasseurs s'ébranler, emmitouflés dans des fourrures de milliardaire. Je me faisais alors conduire dans l'un de ces miradors qu'une administration prévoyante a construits dans les clairières à l'intention des âmes sensibles. On m'y laissait avec une paire de jumelles, des sandwichs, et plein de couvertures. De là-haut, j'ai assisté à des tas de scènes intéressantes que je t'épargne. Mais tu ne couperas pas à celle-ci. Une fois, deux vieux cerfs ont débouché dans la clairière. Ils se sont longtemps observés avant de se précipiter l'un sur l'autre. Au bout d'un moment, leurs bois se sont entremêlés, mais ils continuaient à se cogner dessus avec une incroyable sauvagerie. On a entendu le piétinement des chiens dans le sous-bois. Les deux cerfs ont interrompu un instant leur combat, puis ils ont repris comme si de rien n'était. « *Ils sont fous !* » a crié le vieil apparatchik impotent qu'on avait assis à mes côtés pour ne pas me laisser seule. « *Taillez-vous, connards !* » Plusieurs fois, avec un accent saxon à couper au couteau, il hurla ces mots que je traduis à ton intention dans mon français approximatif.

« Pas besoin de dire que ça s'est très mal fini pour les

deux mâles si sûrs d'eux-mêmes ! La scène fut assez insoutenable – *dégueulasse* même, c'est l'adjectif qui convient – pour se graver profond dans mon crâne... J'y ai repensé tout à l'heure, avec tous les détails, quand, en sous-commission, l'un des Soviétiques de toujours débitait ses slogans sous l'œil assassin de Vassili. Les *durs* et les *réformistes* dans les pays socialistes se conduisent en ce moment exactement comme les deux cerfs croqués sous mes yeux. Tout cru. Et eux aussi, les chiens vont les bouffer. Tous !

Mardi 28 novembre 1989

Zorica est venue me rendre visite à notre bureau de délégation, ce qu'elle n'avait jamais fait. Encore sous le coup de l'émotion, elle m'a parlé des tensions de plus en plus graves qui se faisaient jour au sein de sa propre délégation entre collaborateurs de nationalités différentes. Elle venait de remettre brutalement à leur place deux de ses adjoints. Les imbéciles ! Elle a enchaîné sur la situation actuelle de son pays. On n'en avait pas conscience à l'étranger, mais la Fédération pouvait éclater à tout moment. La folie des Serbes, l'entêtement des Croates risquaient de mettre très vite le feu aux poudres. Jusque dans sa toute petite patrie à elle, la Slovénie, deux millions d'habitants à peine, connus pour leur pragmatisme laborieux, on commençait à perdre la tête.

Pourtant, ils étaient un bon nombre à y être attachés, à leur Yougoslavie improvisée sur un coin de table par les vainqueurs de 14-18. Ne serait-ce que ceux qui, comme elle, avaient épousé un étranger, un Serbe dans son cas, et mis au monde deux fils qui ne se sentaient pas si mal dans leurs baskets bigarrées.

— Jamais jusqu'ici, ça ne nous a posé un problème, à Ivo et à moi, et à plein de nos amis, tu comprends !

Dès qu'elle serait de retour à Belgrade après toutes ces années passées à l'étranger, elle comptait participer activement à la recherche d'une solution institutionnelle acceptable. Sans trop d'illusions tant le ver était dans le fruit.

C'était la première fois qu'elle prononçait le prénom de son mari. La première fois aussi qu'elle évoquait ses fils. Étudiants à Belgrade, ils vivaient leur vie en cités universitaires. Elle les aimait bien, tous les trois, mais j'ai compris que, pour elle, c'était de l'Histoire ancienne.

Appelé en consultation à Moscou, Grigori Akhmanov ne reviendra pas à Londres. Il avait un peu trop dit partout ce qu'il avait sur le cœur. C'est l'ancien numéro 2 de l'ambassade soviétique à Paris, que Claudine connaît, qui va le remplacer. Victor Malevitch s'est fait soudain très discret. Mais Heikki Tuominen m'a assuré que les positions très ouvertes qu'il a prises ne seront pas remises en cause.

Nous nous trouvions dans le hall du Centre de conférences, très fréquenté à cette heure. Après avoir un peu hésité, il a ajouté, en faisant l'effort de mettre en sourdine sa voix tonitruante :

— Il m'a aussi confié très confidentiellement, mais il vous le dira lui-même, j'en suis sûr, que ses amis à Moscou ont promis de l'aider. Ils feront en sorte qu'il puisse se rallier le moment venu au texte sur lequel il a travaillé ici avec vous. Oui, j'ai appris votre initiative. Allez jusqu'au bout surtout !

Il s'est tu, a ébauché un sourire :

— Penser que j'aurai vu ça, de mon vivant, vous ne pouvez pas comprendre ce que ça représente pour moi...

Soudain il a éclaté en larmes. De grosses larmes à

l'ancienne. Tournant les talons, il s'est éloigné en claudiquant.

Le pauvre Pat Callaghan a dû aussi regagner d'urgence sa capitale. Mais, lui, pour des consultations privées… Une série de lettres anonymes ont, en effet, entamé la solide patience de Barbara, son épouse, actuellement ministre des Affaires familiales du gouvernement irlandais. Avant de partir pour l'aéroport, il m'a fait jurer de témoigner en cas de besoin de son exceptionnelle assiduité aux réunions de la Conférence. « *La Révolution culturelle, c'était le bon temps* », a-t-il souri tristement.

Je me souviens simplement qu'à cette époque, dans le désert ambiant, nous nous étions longtemps partagé une secrétaire de l'ambassade indienne. Des joies simples et qui créent des liens, mais pas de quoi tout de même en faire le paradigme du bonheur.

Avec Zorica, nous avons regardé à la télévision un reportage de la BBC sur le déboulonnage en cours des statues des grands prêtres de l'épopée communiste. De Prague à Vladivostok, même si jusqu'ici le processus ne touche en général que les bourgades et les quartiers périphériques des villes. Il n'est pas jusqu'aux bustes du pauvre Marx qui ne soient la cible de ceux qu'emportée par son sujet, la journaliste a d'abord qualifiés de *vandales* avant de corriger le tir. Comme toujours depuis la chute du Mur, Zorica observe les événements avec un étrange mélange de satisfaction et de rage. L'émission finie, elle s'en est tirée par une pirouette :

— Un éminent chercheur de l'Institut d'histoire du marxisme-léninisme de Leningrad a enquêté dans les années 70 sur le nombre de bustes de Karl Marx répartis à travers le monde, grandeur nature, bien sûr, et au-dessus.

Si je me souviens bien, il était arrivé à un total de six millions. Trois fois la population de ma Slovénie natale. Le génocide qui s'annonce dans le monde des statues va exiger la collaboration de tous les bons citoyens !

Mercredi 29 novembre 1989

Avec une audace tranquille, sans en parler à personne, pas même, selon Werner, à son propre ministre des Affaires étrangères, Kohl a présenté au Bundestag un plan pour aller vers la réunification. Fureur sur tous les bancs. Thatcher, m'a confié Ted Garrisson, s'apprête à faire un esclandre au prochain Conseil européen.

À je ne sais lequel de nos sous-comités techniques, le directeur d'une obscure radio de Novgorod s'est lancé dans une attaque en règle contre Radio Free Europe, en y allant des arguments de l'époque Brejnev. Tout le monde s'est regardé autour de la table, y compris les plus éhontés des apparatchiks bulgares. L'orateur était-il conscient qu'il s'était trompé d'espace-temps ? Mais l'autre a été jusqu'au terme de sa diatribe. « *Je vous remercie, Monsieur le Président* », a-t-il conclu, et il s'est replongé dans ses notes

Sa belle cravate bleue nouée n'importe comment, Kratowski m'a annoncé le départ définitif de Londres de son coéquipier Solowski, que, du reste, on ne voyait pratiquement plus en séance :

— Il en avait marre de compter les moutons pour pas un rond !

Avec deux doigts, il a fait le V de la Victoire, avant de jeter en guise d'éloge funèbre :

— À l'équarrissage, Solowski !

Après l'épandage, l'équarrissage. Notre paquebot prend de plus en plus figure de nef des fous.

Dans ce contexte, mon malheureux pensum nippon a retrouvé son tiroir tout en bas du bureau de ma chambre. Et pourtant, à deux ou trois reprises, Zorica m'a incité à m'y remettre. À l'évidence, elle ne serait pas mécontente que je boucle au plus vite un exercice qui concerne un monde dont elle ne sait rien. Comme si, bizarrement, elle préférait ce qui nous rapproche à ce qui nous éloigne.

Jeudi 30 novembre 1989

Autour de la table de notre Conférence ces derniers jours, des mots inconnus ont commencé à se faufiler. Le mot liberté, par exemple, qui avait jusqu'ici des sens radicalement différents pour chacun des camps, se met à prendre des contours communs. Dans les réunions entre professionnels, les Polonais et les Hongrois, quelques-uns des Russes et des Tchèques et même une journaliste est-allemande qui n'avait pas articulé une phrase jusqu'ici, s'enhardissent et tiennent des propos inimaginables voilà seulement trois semaines.

Au bar, dans la salle de conférences même, on commence à se parler Est-Ouest, à discuter, à plaisanter. La rumeur va jusqu'à affirmer que Natacha, la numéro 3 ou 4 de la délégation bulgare, que les vétérans de la CSCE ont connue militante de choc, *sort avec* Jeff, son homologue américain.

— Que dit la *météo des cerisiers* ?

Ce matin encore, c'est la question que m'a posée

Rancourt au téléphone. De tout ce que je lui avais raconté au retour de mon premier séjour au Japon, c'étaient ces fameux bulletins rapportant heure par heure l'avancée du front de l'éclosion des fleurs de cerisiers qui l'avaient le plus frappé. Incapable de rester en place depuis que les événements se succèdent à toute vitesse dans les pays socialistes, c'est le biais habile qu'il a trouvé pour que je prenne la peine de lui faire le point détaillé de la situation.

— Finalement vous aviez raison, a constaté Claudine avec qui nous évoquions la rédaction du télégramme de synthèse auquel il faudra bien nous décider à très vite nous atteler. Notre rencontre a démontré que « *les choses ne sont pas difficiles à faire. Ce qui est difficile, c'est de se mettre en état de les faire* ». Avouez tout de même que quand vous avez brandi la phrase de Brancusi, vous ne pensiez à rien d'autre qu'à canarder ces malheureux Roumains ?

J'ai avoué.

Seul dans la tribune diplomatique, « *sanglé dans ses lunettes d'écaille* » comme dit l'éternel Coriolis, en homme de théâtre fervent des formules à l'emporte-pièce, le Chinois de service suit la progression de notre lourd paquebot. Imperturbable, il couvre de signes illisibles ses petits carnets à couverture rouge sang. À Pékin, grâce à ce travail obscur, les directeurs de son ministère peuvent jour après jour gloser, et les membres du Bureau politique s'insulter, sur la signification à donner à ce qui se passe dans notre pli du monde.

DÉCEMBRE

Vendredi 1er décembre 1989

Gorbatchev au Vatican. Établissement de relations diplomatiques, ont décidé les deux parties. Comme dirait Marcus Schuster, le *Polonais* continue à avancer ses pions. Échange de bons procédés : Mgr Macchioli nous a annoncé, à Zorica et à moi, qu'il irait ce week-end à Hillgate saluer la tombe de Karl Marx.

— Ne le dites pas à l'excellent Kratowski, nous a-t-il fait promettre, il en ferait une thrombose !

Qu'au milieu de ces turbulences, chacun ait perdu toute assise a été curieusement illustré par Carlos. Lui si discret, si plein d'humour ! Certes, il ne pouvait s'empêcher de loin en loin de m'exhorter à une vie plus réglée. Mais cette fois-ci, il m'a fait carrément la morale. Il était grand temps que je me trouve une femme, que je fasse des enfants, bref que je m'organise pour la suite et fin. « *Tu as soixante ans* », m'a-t-il jeté d'un ton sévère.

Cette irruption dans ma vie privée m'a ébahi. Je l'aime assez pour ne pas lui avoir demandé de s'occuper de sa moitié d'orange et de torcher les petits-enfants que le Bon Dieu lui a donnés ! Mais ç'a été tout juste.

Coriolis soutient que notre Conférence n'est qu'un spectacle à l'intérieur de la superbe pièce que l'Europe se joue en ce moment à elle-même. Du théâtre dans le théâtre, un truc vieux comme le monde. Et, une fois de plus, le procédé se révélait d'une grande efficacité scénique.

— Chaque fois que j'ouvre la bouche dans le navire où nous sommes enfermés, a-t-il ajouté, j'ai l'impression de réciter une réplique écrite par quelqu'un d'autre. Un bon professionnel, au demeurant. Vous n'avez pas cette impression, vous ?

J'ai préféré garder pour moi la réponse à sa question. Il a bifurqué sur une analyse intéressante du rôle dans notre Conférence de Marcus Schuster. Pour lui, notre Secrétaire général est d'abord et surtout un « *entrepreneur de spectacle* » :

— C'est un directeur de salle de génie. Il sait exactement à quel moment il faut frapper les trois coups, lever ou baisser le rideau rouge, et il n'hésite jamais à jouer les souffleurs quand les acteurs s'emmêlent les pieds.

Il est vrai que, tout au long de nos séances, la silhouette gesticulante et la mèche poivre et sel de Schuster ne cessent de traîner derrière la table de la présidence ou entre les bancs des délégations sans qu'on saisisse jamais tout à fait les raisons d'une agitation aussi discrète qu'obstinée.

Voyant que nous nous apprêtions, Zorica et moi, à aller traîner du côté des cinémas, il nous a convaincus de le suivre jusque dans une salle de théâtre de l'East End. Un de ses amis y avait mis en scène *Richard III*. Lui-même y jouait. Un rôle muet :

— Pour me rappeler le temps où je jouais les hallebardiers sur la scène de la Comédie-Française. J'aurais aimé faire plus, mais, hélas, je n'ai pas l'anglais de mes ambitions !

La *Old Nick Company*[1] joue dans une sorte de boyau glissé entre deux entrepôts désaffectés. Le metteur en scène avait fait de Richard III un homme d'affaires à la conquête d'une multinationale de la City. Zorica a marché du début jusqu'à la fin, y trouvant de quoi assouvir toutes les haines qu'elle porte à « *nos sociétés de fric* », une expression chère à la gauchiste qu'elle est restée au fond du cœur. Dès les premières minutes, j'ai trouvé, moi, grotesque et insupportable le parti pris scénique.

Le rideau tombé, installés dans le pub voisin devant un demi de bière tiède, nous avons échangé des horions. La petite Jane, ou Mary, en tout cas Brontë, qui avait été formidable dans le rôle de Clara, a gardé pour elle ses opinions. Mais Coriolis et Zorica se sont ligués contre moi sous l'œil satisfait du metteur en scène venu nous rejoindre. Trop facile pour un professionnel du pouvoir de mon genre, ont-ils clamé tous les trois, d'affirmer que les mots de ce texte d'avant le Déluge sonnent assez clair pour être entendus par le public d'aujourd'hui ! J'ai argumenté pied à pied, hargneusement, comme si j'avais eu Grigori ou Milescu devant moi. Furieux soudain contre Zorica, mais elle l'était tout autant contre moi. Nous avons même échangé des répliques désagréables, devant les autres un peu gênés.

[1] Longtemps un des hauts lieux de l'avant-garde théâtrale londonienne, le *Old Nick Theater* a été rasé au milieu des années 1990. À la place, y a été édifié le siège d'une grande compagnie financière. (*Note de l'Éditeur*)

— Ce n'est que du théâtre, a tenu à rappeler le metteur en scène, un grand diable d'Irlandais, pas mécontent d'avoir réussi à créer la zizanie à l'intérieur d'un couple convenable.

Et entre deux ambassadeurs en plus.

J'avais trop sommeil pour ne pas finalement me décider à reconnaître d'une voix pâteuse certaines vertus à une dramaturgie capable de donner un peu de relief à ce pauvre Shakespeare. Ma lâche abdication a mis un point final à la discussion.

— La technique des grands procès de Moscou, ai-je tenu quand même à faire remarquer au moment où nous nous levions.

Mais Zorica n'avait pas envie de rire. Heureusement, sur le seuil du pub, la petite Brontë a enfin ouvert la bouche pour glisser que la pièce aurait pu s'appeler *La résistible ascension de Richard III*. Un moyen de nous réconcilier tous. Soulagés, nous nous sommes engagés dans la venelle à peine éclairée au bout de laquelle nous attendaient les taxis.

Samedi 2 décembre 1989

De bonne heure ce matin à l'hôtel, coup de fil de Huelmont. Le Directeur du personnel du Département voulait m'annoncer la grande nouvelle : l'homme de l'Élysée venait de retirer sa candidature. Compte tenu de la situation internationale, le Président refusait de le laisser partir. Tout était donc pratiquement réglé pour moi. Il me fallait prévoir d'arriver à Tokyo aux alentours du 10 avril. Sa voix était chaleureuse, amicale. « *Pour une fois que j'ai à transmettre une information agréable* », a-t-il conclu en riant.

J'ai appelé le député Massard pour le remercier de son intervention auprès de Mitterrand, qui avait dû être décisive. Il était content, mais en même temps furieux que les choses se décident d'une façon si peu démocratique dans notre belle patrie. Il m'a cité une phrase d'il ne savait plus qui : « *Le drame de la France, c'est d'être le pays des césariennes : aucun accouchement jamais ne s'y fait par les voies naturelles.* »

Cela dit, si le plaisir d'avoir gagné n'est pas mince, j'ai constaté que mon envie de retourner à l'autre bout du monde avait sacrément pris l'eau. Il y avait eu trop de péripéties humiliantes et injustes. J'avais aussi eu l'occasion de voir en face les inconvénients non négligeables d'une nouvelle affectation à Tokyo. De toute façon, l'existence de Zorica rebattait les cartes.

Le week-end à Oxford. En arpentant bras dessus bras dessous les bâtiments du King's College, nous sommes tombés nez à nez avec l'Allemand qu'accompagnait de près un superbe jeune homme au teint basané. Pour la première fois chez un professionnel de la qualité de Werner, j'ai perçu une brève hésitation. Heureusement, le culturel est revenu au galop. Comme des êtres civilisés, nous avons pris une tasse de thé en devisant de manière sympathique avant de repartir vers nos destins respectifs.

Dimanche 3 décembre 1989

Au retour de notre week-end à Oxford, nous avons décidé que, pour reprendre l'expression qu'avait utilisée Zorica, « *la situation était grave* ». Il fallait nous organiser d'urgence.

Depuis le coup de fil de Huelmont, je n'avais fait qu'y penser. Le Japon ne pouvait pas entrer dans notre épure commune. Zorica avait un vrai problème à régler avec son pays. Après des années loin de chez elle, elle voulait faire ce qu'elle pouvait pour sauver sa pauvre Yougoslavie qui prenait l'eau de toutes parts et dont elle n'arrivait pas à se défaire. Ses efforts ne serviraient à rien, elle le savait, mais jamais elle ne se pardonnerait de ne pas avoir tout tenté. Il n'y avait rien d'autre à faire pour moi que de l'y accompagner.

La machine à embrayer sur le réel s'est alors mise en marche dans mes profondeurs. Amour-propre et armures de samouraï de mon enfance mis à part, qu'est-ce que ça m'apporterait d'aller une nouvelle fois camper au kabuki-za et m'ébrouer sur les tatamis des maisons de thé : de l'exaspération devant les transformations accélérées du pays et de ses habitants, de la nostalgie comme s'il en pleuvait ? Sans parler de l'ombre légère de Setsuko qui recommencerait à me trotter dans la tête.

Des impossibles Balkans de Zorica, je ne savais rien. À l'avoir fréquentée, elle, si peu, si fort, je devinais que je finirais bien par y trouver mon chemin. Et que j'accepterais même, s'il le fallait, de m'intéresser aux drames sans fond qui s'y préparaient.

D'autant qu'à Belgrade, loin du pays de mes fantasmes, je trouverais peut-être, enfin, la motivation qu'il fallait pour reprendre mon manuscrit et, qui sait, y tracer même le point final... Quand j'ai mis sur la table cet ultime et absurde argument devant Zorica, il lui a paru assez convaincant pour qu'elle y aille de ce que j'ai pris pour une déclaration d'amour à l'ancienne.

Lundi 4 décembre 1989

La presse titre en gros caractères sur la déclaration de Gorbatchev hier à Malte : « *Le monde quitte l'époque de la guerre froide.* » Et nous alors, ici à Londres, qui faisons le coup de feu à longueur de journée dans notre Conférence estampillée « *guerre froide* », qu'est-ce que nous allons devenir si l'on nous ôte notre raison sociale ?

Je ne sais qui a pris l'initiative de scotcher en divers endroits du Centre une mauvaise photocopie de la couverture du numéro de *Time* du 30 décembre 1983. Au lieu et place du traditionnel « *homme de l'année* », le magazine, je m'en souvenais vaguement, avait retenu deux personnages : Reagan et Andropov. On les voit, le visage glacial, se tournant ostensiblement le dos. « *Ils ont tué la* détente », clame la légende en se référant évidemment à leurs projets respectifs en matière d'arsenaux balistiques.

Quel est le message qu'ont voulu nous expédier le ou les responsables de cet affichage sauvage ? L'ironie de l'Histoire ? Tout juste installés, les successeurs que les deux va-t'en-guerre se sont choisis avec tant de soin, sonnent d'une seule voix la fin de la « *guerre froide* » ! Est-ce, au contraire, un avertissement solennel à la Conférence : la Roue de l'Histoire est une girouette, demain elle tournera dans l'autre sens ! À moins que tout simplement on ait souhaité nous adresser un pied de nez, à nous tous qui faisons les importants dans cette enceinte : tout n'est que clownerie sur cette planète où le hasard nous a jetés. Un coup de Coriolis et de ses amis ?

Par ses sources personnelles, le Finlandais vient d'apprendre que notre collègue Grigori a été flanqué en prison. Il serait impliqué dans un complot contre Gorbatchev. Des dizaines d'officiers du KGB et de l'armée seraient compromis dans cette histoire. La nouvelle a immédiatement fait le tour de la Conférence, sans causer trop de peine. Trois autres membres de la délégation soviétique auraient été priés de regagner d'urgence leurs pénates. Les affaires de ce genre se multiplient, et pour être en mesure de les traiter, assure Heikki, le KGB recruterait de nouveau...

Confirmation par Mgr Macchioli de la mise en cabane de Grigori. Ce dernier aurait mis à profit son séjour à Londres pour monter en Europe occidentale un réseau de personnalités communistes ou sympathisantes prêtes à participer à la déstabilisation de Gorbatchev et de son équipe, notamment à travers les médias. L'enquête n'en est qu'à ses débuts, mais l'affaire aurait des ramifications partout.

— Ce bon Grigori à qui j'aurais donné le Bon Dieu sans confession, a poursuivi mon interlocuteur. Quand on y repense, il est vrai qu'il était toujours en train de rencontrer des gens qui n'avaient pas grand-chose à voir avec notre Conférence. Des personnages connus parfois. Que de fois, je l'ai aperçu... mais vous aussi sûrement. Bon, j'imagine que certains ont fait ce qu'il fallait pour alerter qui de droit. À Gorbatchev de jouer maintenant !

Tout ça était énoncé sur un ton un peu trop dégagé pour être tout à fait honnête. Le Vatican indic de la police soviétique ? Pourquoi pas après tout ? Tant que le secret de la confession n'est pas remis en cause... Il nous faut apprendre à remettre tous nos curseurs à zéro !

Jour après jour, je remets à plus tard la rédaction de mon télégramme de synthèse de novembre. J'ai relu ce que j'avais écrit fin octobre. Pas vraiment visionnaire, c'est le moins qu'on puisse dire ! Au lieu du petit bonhomme de chemin pronostiqué par le grand ambassadeur Tromelin, on a eu droit à un fleuve torrentueux qui a balayé sur son passage un demi-siècle de certitudes. Pour des raisons qu'on cherchera à percer durant les siècles à venir, le Mur, symbole et clé du système, s'est effondré, écrabouillant une poignée de régimes à qui les observateurs les plus critiques donnaient des décennies d'espérance de vie. Même si Gorbatchev, en dernier ressort le responsable de ce séisme, est éliminé par les innombrables copains de Grigori, les démocraties populaires ne ressusciteront pas.

Mardi 5 décembre 1989

Harry Marx s'est décidé à demander de nouvelles instructions à Washington compte tenu de l'accélération de la situation. Il n'a toujours pas de réponse.

— Si ça continue, je vais être obligé de refuser le projet de compromis sur les voyages des journalistes, m'a-t-il confié, visiblement furieux. Un texte inespéré pourtant. Et je serai tout seul avec les Roumains à m'y opposer, c'est un comble ! Ces crétins du Département d'État sont incorrigibles. Toujours en retard d'une guerre !

Je commence à bien l'aimer, notre Marx à nous. Il apprend vite et il sait se mettre en pétard quand il faut.

L'autre Marx continue à mener comme il peut sa petite vie posthume, pas bien rigolote par les vents qui soufflent.

Heureusement *les Roumains sont toujours debout*... Dans la grosse enveloppe qu'il nous adresse tous les mardis, Milescu a fait ajouter ce matin la plaquette multilingue de présentation du musée du marxisme-léninisme que le *Conducator* vient d'inaugurer à Cluj. Je ne sais combien de mètres carrés en plein centre-ville, avec un auditorium et un studio de télévision. On y présente, notamment, à l'admiration des visiteurs une reconstitution fidèle du bureau de Marx à Londres ainsi qu'une « *copie en granite* » du monument du cimetière de Hillgate. Au dire de Romulus Cibu, son conservateur, le lieu « *répond à tous les impératifs de la muséographie progressiste* ». L'entrée, en plus, est gratuite.

Setsuko m'a annoncé qu'elle m'envoyait un article découpé dans une revue d'Osaka, qui devrait m'aider pour mon bouquin. D'une voix qui m'a semblé étrangement lointaine, elle m'a répété qu'il fallait que j'avance. C'était important, ce livre, pas seulement pour moi ! Pour une série de gens, en Europe et au Japon. Et pour elle aussi, bien sûr, qui avait suivi de près la progression de mon travail.

Abruptement, elle a embrayé sur ma nomination à Tokyo. Sans écouter ma réponse, elle a jeté :

— Ça me ferait plaisir qu'on se revoie !

Et elle a raccroché.

Il est vrai que Setsuko a souvent marqué son intérêt pour le livre. Elle est, du reste, la seule à avoir lu le manuscrit en entier, la seule aussi à qui j'ai expliqué en détail mon projet. Cela dit, j'imagine que son appel avait un tout autre objet.

Chauffées par Claudine, Sybil et son amie Elsa ont promis de nous aider en glissant en catimini l'idée d'une *Déclaration* ambitieuse sous le crâne de ceux des délégués qu'elles connaissent bien. Un jeu d'enfant pour elles ! Chaque fois que l'une ou l'autre sort des cabines de traduction pour souffler, il y a toujours dans la salle quelques braves types qui éprouvent le besoin de se lever pour ne pas les laisser boire leur café en solitaire. J'ai pu constater par moi-même que les intéressées sèment la bonne parole avec une assurance et un talent dignes de tous les éloges.

On n'en finit pas de dénombrer les victimes de la chute du Mur. Sur la liste, il faut depuis hier rajouter cette vieille canaille de Bourrelier : l'exceptionnelle clairvoyance dont le responsable d'Europe du Département a témoigné ces derniers mois vient d'être récompensée par une déportation toutes affaires cessantes à Singapour. Comme dirait le Directeur du personnel, sa radicale ignorance de l'Asie va lui servir.

Zorica a dîné en tête à tête avec Hans Muller. « *Il encaisse tout ça très mal,* m'a-t-elle simplement dit. *Lui qui paraissait un roc !* »

Mercredi 6 décembre 1989

Comme je m'y attendais, Setsuko a de nouveau appelé. Elle s'est excusée de ne pas m'avoir délivré la veille ce qui était son message principal. Comme on dit dans le milieu qu'elle fréquente, elle avait « *rencontré quelqu'un* ».

Je l'ai remerciée de sa franchise, sans éprouver le besoin de lui parler de ma situation à moi. Je ne voyais pas en quoi ça pouvait lui importer de savoir où j'en étais. Mais elle ne m'a pas laissé quitte :

— Je suis sûre que de ton côté, tu as trouvé la princesse de tes rêves. Dans la cohorte des interprètes de conférence, à moins que tu n'aies pris la peine d'aller dénicher l'oiseau rare dans l'une des salles de ton cher Whistler à la *Tate*.

Je n'ai pu m'empêcher de lui envoyer en retour dans les gencives une exquise journaliste nipponne en poste à Londres.

— Je ne te crois pas un instant, a-t-elle rétorqué. Tu ne supportes plus les Japonaises d'aujourd'hui, avec leur mètre soixante-dix et leurs jambes toutes droites !

Nous avons ri enfin.

Vaclav Vacek rentre d'un voyage éclair à Prague où il a rencontré des amis proches, au ministère et au Parti. Il m'a paru content, pas vraiment étonné non plus, que je prenne l'initiative de l'inviter à dîner en tête à tête. Après tant d'années !

Il a commencé par me raconter la scène qui lui avait soudain donné la mesure de ce qui se passait : le 24 novembre au soir, l'apparition sur le balcon de la place Venceslas de Dubcek tenant la main de Havel devant une foule de 300 000 personnes. Le communiste excommunié et l'indomptable dissident !

— J'étais venu en spectateur, entraîné par un vieux copain. Et je me suis retrouvé à hurler de joie comme les autres. Moi qui savais que, s'ils gagnaient, j'allais perdre, outre tous mes repères, mon boulot, mon appartement et le reste.

Il a éclaté de rire, m'a regardé, pensif soudain, avant de reprendre la parole :

— Nous étions beaucoup à vouloir vraiment construire une alternative au capitalisme. Nous avons construit un système social et un appareil éducatif qui tenaient la route. Mais nous avons aussi commis tellement d'erreurs : d'analyse, de stratégie, de tactique... Et nous avons été infoutus de détecter et de retenir les meilleurs...

Il s'est arrêté net, étonné de se trouver en train de m'ouvrir son cœur.

— Une chose au moins est incontestable : de par notre existence et de par celle de nos *chevaux de Troie* comme vous avez si longtemps appelé les partis communistes qui existaient chez vous, nous avons été un paratonnerre contre la logique folle de votre système capitaliste. À cause de nous, vos gouvernements ont été obligés de mettre de plus en plus d'eau dans leur vin. Ils ont fini par donner des droits et du pouvoir d'achat aux travailleurs, et par imposer des limites aux exigences des entrepreneurs. Ce serait un peu exagéré de dire que vous nous devez vos « *Trente Glorieuses* », mais nous n'y sommes pas tout à fait pour rien...

« Bon, très vite sans doute nous allons devenir vos clones. La *perestroïka*, le multipartisme en Pologne et en Hongrie, les manifestations chez moi, en RDA et jusqu'en Bulgarie – il faut le faire quand même ! – sonnent la débandade. Le Mur est tombé sur le modèle socialiste tout entier. Mais il faut que, vous aussi, vous le sachiez : il n'y aura plus désormais de statue du commandeur pour obliger vos capitalistes à faire la part du feu. Le monde va entrer de nouveau dans l'ère des Krupp, Wendel et autres Bata, avec toutes les tribulations qui en résulteront, les crises genre 1930 et, comme l'a montré Lénine avec une clairvoyance qu'on ne saurait lui refuser, leurs inévitables corollaires, les guerres coloniales, européennes et autres.

Il s'est arrêté de nouveau. Confier ainsi à qui avait si longtemps été un ennemi de classe l'état de ses réflexions personnelles était une épreuve difficile. Il a esquissé une sorte de hochement de tête douloureux avant de reprendre :

— Ce qui arrivera d'abord, et qui me flanque une peur bleue autant qu'une rage terrible, c'est la balkanisation de nos pays. À Prague, j'ai pu constater que les démagogues avaient déjà commencé à jouer avec nos micronationalismes. La Tchécoslovaquie laborieusement mise en place en 1918 va voler en éclats avant cinq ans, je suis prêt à en prendre le pari. Tant pis pour les idiots de mon genre, avec leur papa tchèque et leur maman slovaque, qui seront des suspects en or pour les polices des deux pays à venir. Et je préfère ne pas penser à ce qui risque de se passer dans un pays comme la Yougoslavie.

Il était très tard. Avant de nous séparer, Vaclav m'a dit de ne pas me faire de bile pour la *Déclaration* qu'il savait que nous préparions dans notre coin. Il venait d'en parler à Prague et avait expliqué qu'il faudrait s'y rallier le moment venu. Il avait encore suffisamment de copains au ministère pour qu'on lui laisse carte blanche.

Jeudi 7 décembre 1989

Tous les médias ce matin font leurs titres avec la rencontre à Kiev de Mitterrand et Gorbatchev. À mon arrivée au Centre de conférences, on m'a accueilli comme le roi de la fête. Et alors, et alors ? Bien entendu, je ne savais que ce que j'avais entendu sur la BBC en me levant. Pour ne pas décevoir, j'ai glissé les deux ou trois évidences de rigueur, sur le ton légèrement mystérieux qui s'impose et en impose en ces circonstances. Les collègues m'ont remercié pour les indications que je venais de leur fournir, et ils ont détalé pour aller rédiger le télégramme impatiemment attendu par leurs capitales respectives.

Appel du ministère. Le brillant secrétaire d'État aux Affaires étrangères en personne ! De sa voix grognonne : « *Si c'est Madame Thatcher qui clôt votre Conférence, il faut évidemment que je sois présent. Faites-moi le point au plus vite !* » Tout est donc organisé pour que notre Duval-Veyron, alias P.D.V., arrive à Londres le 14 au soir. Grâce à l'obligeance de Ted Garrisson, j'ai même pu obtenir que la Dame lui offre le petit-déjeuner. Et en prime une photographie en sa compagnie. Sans vergogne, j'ai fait dire à Maggie que *dear Michel* lui était immensément reconnaissant de ce geste.

Les choses sont devenues sérieuses : notre collègue chinois est maintenant équipé d'une paire de jumelles... Du haut de la tribune diplomatique où il siège toujours étrangement seul, il braque sa nouvelle arme, cherchant désespérément à lire sur le visage des délégués *leur* vérité. À moins, comme le risque Claudine, de plus en plus grande fille, qu'il ne se rince l'œil en observant les décolletés de Minerva.

En l'absence de nouvelles instructions du Département d'État, Harry Marx a pris sur lui de lever les réserves qu'avait formulées sa délégation, notamment sur le texte concernant les conditions de travail des journalistes.

— Une initiative qui risque de mettre un point final à ma prometteuse carrière diplomatique ! rigole-t-il. Mais il faut savoir vivre dangereusement !

Ted Garrisson m'a expliqué que Marx était atteint d'une forme de leucémie qui ne pardonnait pas. Il passait une journée par semaine dans une clinique de Kensington et savait qu'il en avait encore pour six mois.

— Je crois qu'il aurait aimé mourir au milieu de nous, au détour d'une de ses interventions à la Conférence. Hélas, même si Maggie prolonge nos travaux encore quelque temps, le calendrier ne permettra pas à l'ami Harry de voir ses vœux exaucés !

Comme quelques autres de ses compatriotes, Garrisson a un rapport avec le désespoir qui me réconcilie avec la planète sur laquelle le hasard m'a bouturé.

Il m'arrive d'observer Milescu, immobile à son banc, fixant on ne sait quel horizon. Le mystère de ce qui se passe dans cette cervelle m'*interpelle*, comme dirait le petit Leroux déplumé. Soudain cet après-midi, un très lent et énorme bâillement a déformé sa trogne sans qu'il daigne déranger l'une de ses mains pour contenir l'événement.

Mgr Macchioli m'a dit l'intérêt qu'il avait pris à sa visite au cimetière d'Hillgate.

— Vous ne devinerez pas qui j'ai croisé là-bas ? Notre collègue Hans Muller ! Comme si, dans les circonstances actuelles, il avait besoin de se ressourcer ! La nature humaine est ainsi faite. Qu'un matérialiste de son acabit en vienne les jours sombres à aller traîner du côté d'une tombe, c'est une belle leçon pour nous tous, non ? Bien entendu, il a fait semblant de ne pas me voir.

Dans le restaurant pakistanais où nous avons nos habitudes à côté du *John Soane*, Zorica est revenue sur les nouvelles de plus en plus inquiétantes qui lui parviennent de Yougoslavie.

À un moment, elle s'est emparée du flacon de Ketchup. Elle l'a secoué, deux fois, trois fois, sans qu'il se passe rien. Soudain le flot vermeil s'est déversé dans son assiette.

— C'est ainsi que l'Histoire progresse, a-t-elle laissé tomber d'une voix grave. En plus, la couleur est tout à fait conforme à la réalité.

Nous sommes restés un bon moment silencieux. Puis

nos mains se sont retrouvées. Nous avons cherché la raison la plus impérieuse qui nous poussait à vouloir nous retrouver à Belgrade. Parce que nous n'entendons pas nous en priver, avons-nous finalement décidé.

Il est grand temps que je fasse le nécessaire auprès de Paris.

Vendredi 8 décembre 1989

Pas trop flambard, j'ai appelé le Directeur du personnel pour lui annoncer que des raisons privées impérieuses m'obligeaient à renoncer à Tokyo. Je souhaitais, en revanche, de toutes mes forces, être nommé à Belgrade qui allait se libérer à peu près à la même date. Après les hurlements qu'on pouvait attendre et le couplet virulent sur nos caprices, à nous les mandarins de la maison qui rendions impossible toute politique du personnel digne de ce nom, Huelmont m'a asséné que je ne connaissais rien à toutes ces histoires balkaniques. Je lui ai rétorqué qu'en deux mois à Londres, j'en avais appris plus sur le sujet qu'en des années en poste dans la région.

— Tu t'es dégoté, je suppose, une sirène yougoslave sur les bords de la Tamise ? a-t-il ricané.

Opportunément, il avait raccroché avant que je bredouille je ne sais quoi.

Déjeuner avec Carlos. Depuis longtemps, nous nous étions promis de faire ensemble le bilan de ce que nous avions vu de nos yeux et vécu dans notre chair depuis l'ouverture de la Conférence. Pour notre gouverne personnelle, mais surtout en prévision du télégramme de compte rendu dont il nous faudra bien, l'un comme l'autre, accoucher d'ici quelques jours à l'intention de nos capitales.

En confrontant nos souvenirs, nous avons été d'accord sur le point de départ : quand elles avaient débarqué de leurs capitales respectives, les délégations se dévisageaient comme elles l'auraient fait à l'époque de Molotov. Le climat était quasiment aussi chaleureux... La réception donnée par Muller pour le quarantième anniversaire de la RDA, par exemple, aurait pu avoir lieu vingt ans plus tôt, avec le même ambassadeur soviétique roulant les mécaniques et les pays frères faisant le chœur, devant un parterre d'Occidentaux dégoûtés.

Puis, jour après jour, tout à l'Est avait commencé à se déglinguer. Les leaders indéboulonnables, les symboles et les dogmes, les frontières et les murs, comme dans un gigantesque jeu de dominos. Nous en avions ressenti au fur et à mesure l'effet de contagion jusque dans notre absurde Conférence. Sans que nous y prenions garde, le texte dérisoire dont nous étions partis s'était peu à peu élargi et musclé. Les réserves formulées par certains avaient désormais des chances sérieuses d'être levées avant la clôture. Et le *Préambule* ambitieux que nous allions en principe déposer dans les prochaines heures passerait peut-être dans la foulée, faisant de la liberté d'expression sous toutes ses formes l'une des valeurs cardinales communes aux pays européens.

Pour résumer, un tremblement de terre d'une magnitude inouïe s'était produit sur notre continent. Et notre modeste Conférence, dans la mesure où elle rassemblait dans un lieu clos tous les pays de la région, en avait été comme le sismographe.

— Le sismographe ? Génial ! Je tiens mon télégramme, lança joyeusement Carlos. Le mot qui nous manquait. Sur les causes et les effets du séisme, laissons les historiens s'étriper dans les siècles des siècles !

J'y allai de l'*Amen* qu'attendait le séminariste qu'il avait été, avant de commander une seconde bouteille de Rioja.

— Pardon pour mes conseils de vieille fille l'autre jour, m'a-t-il dit avant que nous nous levions de table. C'était stupide de ma part, et outrecuidant. Il n'y a que toi qui sais comment organiser ta vie, et après tout tu ne l'as pas fait si mal jusqu'ici. Mais j'arrive à l'âge où l'on commence à avoir peur pour les gens qu'on aime.

Ted Garrisson a réussi à convaincre Madame le Premier ministre que, s'il était adopté, le *Préambule* que nous avions mis au point permettrait à notre Conférence de se terminer en apothéose. Sur les rives de la Tamise, à l'ombre du Parlement et de Downing Street aurait vu le jour un grand hymne à la Liberté. Ce texte resterait dans l'Histoire comme un jalon aussi important que la *Déclaration des Droits* de ces salauds d'Américains ou celle de ces maudits Français. Convaincue par cette belle dialectique, Maggie a donc donné son feu vert. Sir Alec a pris la décision en pleines gencives, mais il obéira sans même japper. Désormais, donc, la présidence est à fond derrière nous.

Il était temps, car, à Paris, Didier Pierrelatte avait commencé à mobiliser les patrons de presse et à faire le siège de ses amis du monde politique pour que soit bloqué « *ce texte irresponsable* ». Il aurait sans doute réussi son coup si, suite à un appel téléphonique de *Maggie, dear Michel* n'avait pas tranché contre lui. La Dame de fer lui a, en effet, demandé avec la plus grande insistance son appui dans cette affaire. L'adoption par l'ensemble des pays européens, en ce moment décisif, d'une ambitieuse *Déclaration sur l'Information*, a-t-elle affirmé, contribuerait puissamment au rétablissement d'un régime de liberté de l'autre côté de ce qui fut le Rideau de fer.

Apparemment, elle a fait la même démarche auprès

de Kohl, qui dans les circonstances présentes veut tout ce qui lui fait plaisir, et auprès de quelques autres de ses homologues. À événement historique, *Déclaration* historique, a-t-elle répété. Soucieux de lui complaire pour pas cher, ses interlocuteurs sont en train de donner des instructions en ce sens à leurs délégations à Londres.

J'ai compris que notre Secrétaire général, à son tour, avait activé ses réseaux personnels en faveur de notre texte. « *Ça va marcher,* notre *histoire* », m'a-t-il lancé d'une voix joyeuse au moment où je quittais le Centre de conférences. Et sa façon d'appuyer sur le *notre* m'a laissé penser que nous avions maintenant des chances sérieuses d'aboutir.

Samedi 9 décembre 1989

— On peut parler un instant ? m'a demandé Eva Bengtson, vaguement gênée.

J'ai remarqué que son visage prenait de plus en plus de couleur au fur et à mesure que l'obscurité s'épaississait sur Londres.

Les moments passés ensemble au *Blue Parrot* nous ont beaucoup rapprochés. C'était elle et moi qui tenions la plume, et il nous revenait ensuite d'harmoniser nos versions d'un texte qui partait facilement dans toutes les directions.

— Tous ces changements qui interviennent en Europe, a-t-elle commencé, sont éminemment positifs et moraux, c'est hors de doute. Il faut reconnaître, cependant, qu'ils ne sont pas trop bons pour notre matricule, à nous Suédois. Bientôt plus personne n'aura besoin de nous. Dieu sait pourtant que nous l'avons joué avec talent, notre rôle de courtier entre les deux blocs ! On ne le dit pas assez : les principales victimes de la chute du Mur, ce sont nous, les Suédois et notre inoxydable neutralité... Nous allons redevenir ce que nous n'aurions jamais dû cesser d'être : un petit pays qui compte plus de lacs que d'habitants.

Elle m'a regardé pour être sûre qu'elle pouvait continuer :

— C'est sur ce point que j'aurais aimé avoir ton opinion. Voilà ! Ne penses-tu pas que pour vous aussi, un grand pays, la vie va devenir plus compliquée ? N'y a-t-il pas le risque que votre gaullisme se mette à prendre l'eau ! Votre fameuse force de frappe, par exemple...

Elle s'est interrompue net :

— C'est abominable, je ne peux m'empêcher de jouer les prêcheuses ! Telle une sermonneuse de mon Norrbotten natal ! Pas très étonnant, du reste, puisque mon père y était évêque. *Saint Daddy*, nous l'appelions entre nous, mes sœurs et moi, pour nous venger de son existence...

Elle s'est montrée un peu déçue de mon absence de réactions :

— Dommage que tu n'aies ni foi ni loi : j'adore observer la réaction des catholiques quand je parle de mon père évêque. Un homme mitré qui engendre et paterne, ça leur en bouche un coin en général. Mieux vaut dire des bêtises, a-t-elle conclu, que de se faire un sang d'encre en essayant de deviner de quoi notre avenir sera fait !

Je lui ai promis de réfléchir à tête reposée à sa question pertinente.

Bref échange avec un Coriolis passablement découragé :

— Avec ce qui se passe partout en Europe, soutient le valeureux représentant d'*Acteurs sans frontières*, tout va mieux pour tout le monde, sauf pour nous, les organisations non gouvernementales. Maintenant on refuse carrément de nous écouter. Il n'est même plus certain qu'on nous donnera la parole tant il y a encore de sujets inscrits à l'ordre du jour. À se demander pourquoi nous sommes venus ! Et pourtant, dans la nouvelle configuration politique européenne, le théâtre sans frontières sera plus indispensable encore.

Avant de me quitter, il m'a conseillé d'aller à Stratford voir un *Richard III* qui me plairait sûrement, joué à l'ancienne et sans une coupure. C'était dit si gentiment que j'ai gardé pour moi la répartie déplaisante qui m'était venue.

Comme je parlais avec Zorica au bar du Centre de conférences, Hans Muller s'est approché. Sans même me saluer, il a pris Zorica par le bras et l'a entraînée dans un coin. Leur conversation a pris très vite un tour désagréable, au point qu'elle a fini par le quitter, furieuse.

— Ce type est en train de disjoncter totalement, m'a-t-elle seulement dit en me rejoignant.

Dimanche 10 décembre 1989

Tellement maître de lui d'habitude, Rancourt ne tient plus en place face aux événements qui mettent par terre, et en terre, *son* monde. Le monde qu'il avait tant contribué à faire survivre dans cette paix étrange qu'on avait baptisée l'équilibre de la terreur. Après plusieurs appels pour s'enquérir de la *météo des cerisiers*, que j'ai laissés sans réponse, je me suis enfin décidé à composer son numéro. À la musique de sa voix, j'ai compris le bonheur que je lui offrais en cet après-midi dominical sans espoir.

Ces derniers temps, nos conversations sont devenues un long monologue de ma part. Mon compte rendu achevé, il a laissé filtrer une amertume que je ne lui connaissais pas :

— Il a fallu que ça tombe sur vous ! *La dernière Conférence de la guerre froide*... Vous avez la baraka ! Vous étiez l'un des seuls au Département à avoir réussi pendant trois décennies à passer entre les gouttes des rencontres Est-Ouest. Et quand enfin on réussit à vous expédier au front, vous vous arrangez pour que la bataille soit la der des ders !

J'ai plaidé coupable, allégué les habiles leçons reçues du maître, sans réussir à le dérider.

— En tout cas, c'est ma *dernière Conférence* à moi, a-t-il soupiré. Jusqu'ici, je me disais que j'appartenais encore à cette planète même si je n'y jouais plus aucun rôle. Désormais, je ne suis plus des vôtres.

Il y a eu un long silence.

— Bon, tout ça n'est pas grave, a-t-il repris, la voix soudain allègre. Quand on n'est plus un voyant, il reste à devenir un voyeur. Continuez à me tenir au courant, s'il vous plaît, mon cher Tromelin. À défaut d'encore me concerner, ce qui se passe chez vous continue à me divertir.

De ma conversation avec Eva Bengtson l'autre jour, quand elle avait bouffonné sur son père l'évêque, je m'aperçois qu'il y a un point que je n'ai pas noté ici. L'avenir est très préoccupant, a-t-elle dit en substance, car, s'il est capable de se passer de Dieu, l'homme ne peut pas vivre sans Diable :

— *Old Nick* ! Ce brave *Old Nick*... C'est la peur qu'on en a qui maintient ensemble les morceaux du puzzle social. Sans cette trouille, que Staline, Truman et les autres ont si bien su nous faire entrer dans le crâne en répétant matin et soir qui était le coupable dans cette affaire, le monde ne peut que zigzaguer dangereusement. De tout ce que *Saint Daddy* m'a inculqué, il n'y a qu'au rôle irremplaçable de Satan que je crois encore. Et, hélas, depuis la Chute, celle du Mur s'entend, nous nous retrouvons seuls avec nous-mêmes !

Je lui ai promis que les hommes réinventeraient très vite un ou plusieurs *Old Nick* nouveaux, mais ça n'a pas eu l'air de la rassurer.

— Satan est mort, tout est permis ! a-t-elle conclu en souriant à peine. Crois-en une fille d'évêque !

Lundi 11 décembre 1989

Carlos et moi, nous avons déposé ce matin sur le bureau de la présidence notre projet de *Déclaration*. Douze délégations ont accepté de le co-parrainer. Plusieurs autres savent qu'elles vont recevoir des instructions de leur capitale appuyant notre initiative.

À Berlin-Est, rencontre entre le gouvernement et « *l'opposition* ». Le mot même paraît radicalement incongru en ce lieu. Pour ne pas parler de l'annonce d'« *élections libres* » en mai 1990 ! À son banc, Hans Muller imperturbable, le regard tout juste un peu plus buté que d'habitude. Je l'imagine se pinçant de loin en loin pour tenter de sortir de ce cauchemar. Selon Zorica, qui parle de lui avec un agacement de plus en plus perceptible, il est maintenant convaincu du caractère irrémédiable du naufrage.

Au fur et à mesure que se précise l'éventualité d'une réunification allemande, m'a confié Garrisson, la rage de

Maggie monte. Elle ne peut supporter qu'au moment où il se réalise, son rêve de la mort du système communiste soit défiguré par la réalité incontournable d'une Allemagne prenant le leadership de l'Europe.

Elle en veut à mort à Kohl, bien sûr, mais aussi à Mitterrand qui ne se met pas assez en travers du processus « *alors qu'il en aurait les moyens* ». Toujours selon Garrisson, elle se laisse aller en privé à affirmer que la Peste brune menace de nouveau le continent. À la réception que donnait aujourd'hui la Commission des Affaires étrangères des Communes en l'honneur des délégués de la Conférence, elle a fait juste une apparition. Elle ne cachait pas son humeur de chien. Pour la première fois, je n'ai pas eu droit au rituel message de sa part pour *dear Michel*. Seul parmi nous, Zürcher s'est vu gratifié d'une conversation particulière. Une fois de plus les deux ou trois petits éclats de rire sortant de la gorge de la Dame ont meurtri cruellement nos orgueils nationaux.

— Nous avons juste évoqué le bon vieux temps, a assuré l'intéressé, qui a fini par deviner l'exaspération que nous ressentions.

Plus personne ne met ses dires en doute.

Ted Garrisson m'a enfin fourni des précisions sur les mesures qui ont été prises pour mettre Rushdie à l'abri des tueurs. Ainsi qu'il l'a énoncé avec sa discrète arrogance naturelle, « *Margaret Thatcher s'est conduite en vrai Premier ministre britannique* » : malgré le portrait méchant auquel elle a droit dans le livre, elle a fait mobiliser des moyens considérables pour assurer la sécurité de l'écrivain. Les services britanniques sont convaincus de la détermination des Iraniens dans cette affaire. Selon les renseignements en leur possession, ce n'est, du reste, que le tout début d'une offensive tous azimuts contre l'idéologie occidentale. Et contre l'Occident. « *Tu verras, on finira par la regretter, notre bonne vieille guerre froide !* » m'a-t-il lancé, et le bref éclat de rire dont il a ponctué sa phrase n'avait rien d'encourageant.

Le pauvre Hitoshi a raison de se faire du souci. La police nipponne ne lèvera pas le petit doigt pour assurer sa protection. Avec leur bonne conscience habituelle, les autorités jugent certainement inexistante la menace islamique dans un pays aussi bien tenu que le Japon. Pour que, dans l'état de nos relations, Setsuko ait pris la peine de m'envoyer un mot à son sujet, il faut qu'elle sente Hitoshi bien solitaire et désemparé.

Quand je lui ai fourni ces informations au téléphone, Setsuko m'a simplement dit, en japonais, signe qui ne trompe pas sur l'inquiétude qu'elle ressent pour la vie de son ancien professeur de littérature :

— Thatcher ou pas, ces bonzes fous abattront Rushdie comme un chien quand ils l'auront assez fait mariner dans sa trouille. Et ils feront pareil avec Hitoshi [1] !

Mardi 12 décembre 1989

Victor Malevitch est devenu maintenant le véritable chef de la délégation soviétique. Devant moi, il a soutenu que la situation en Roumanie n'est pas ce qu'on croit. Plusieurs des compagnons les plus proches du *Conducator*

[1] Iragashi Hitoshi a été poignardé à mort le 11 juillet 1991 dans son bureau de l'université Tsukuba, à une heure de voiture de la capitale. Quelques jours plus tôt, le traducteur italien du livre avait été blessé. Son éditeur norvégien, lui, survécut de justesse à plusieurs coups de feu. (*Note de l'Éditeur*)

seraient en train de préparer son éviction, et un processus analogue à celui qui vient de balayer la vieille garde en Allemagne de l'Est et en Bulgarie a des chances de se produire à très brève échéance. La CIA relaye ces rumeurs. De Paris, à qui j'ai télégraphié ces informations, on m'a confirmé que les Soviétiques semblaient décidés à mettre le paquet pour en finir avec celui que Gorbatchev appelle « *le parano des Carpates* ». Il n'est donc pas exclu qu'on puisse éviter le blocage de notre *Déclaration* par les Roumains. Aussi la présidence britannique, sur instruction personnelle de Mme Thatcher, a-t-elle décidé de prolonger la Conférence de deux ou trois jours.

Dans ce nouveau calendrier, Thatcher n'a plus qu'un créneau d'un quart d'heure à accorder à mon secrétaire d'État favori.

— Je crois que je vais rester à Paris, m'a déclaré Duval-Veyron d'un ton aigre. Je n'ai pas que ça à faire, figurez-vous, Monsieur l'Ambassadeur !

J'ai promis, croix de bois croix de fer, qu'il y aurait un excellent photographe dans le bureau de Maggie. Une photo qui épaterait les comices agricoles en Haute-Loire. P.D.V. a fini par se résoudre à traverser la Manche.

— Uniquement parce que c'est vous, Monsieur l'Ambassadeur !

Minerva Andropoulos se montre ostensiblement en compagnie du numéro 2 de la délégation bulgare, un bel homme au demeurant, le visage très byzantin, à qui les circonstances semblent avoir fait découvrir les femmes. Les femmes du monde capitaliste en tout cas. Pat Callaghan déploie des ruses de Sioux pour ne pas croiser leurs trajectoires.

— J'ai promis à Barbara, répète-t-il d'une voix plaintive tel le fumeur qui tient à faire savoir à la terre entière qu'il a arrêté le tabac.

Son inaltérable cravate vert trèfle semble avoir définitivement abandonné la partie au profit d'une ficelle noire et rouge censée, j'imagine, accompagner son deuil. L'Irlande étant fille cadette de l'Église, Mgr Macchioli a désormais l'œil sur lui. Sans doute, de Dublin, Barbara lui a-t-elle demandé de veiller au grain.

Attablé seul au bar du *Carlton*, Heikki était ce soir en veine de confidences. Fatiguée, Zorica m'a bientôt laissé en tête à tête avec lui.

Pâteuse au départ, sa voix s'est peu à peu éclaircie.

— Pourquoi la *perestroïka*, hein ? La question que se posent tous les Occidentaux. Après tout, l'Union soviétique aurait pu continuer à suivre son petit bonhomme de chemin totalitaire. Le pays fonctionnait, très mal certes, mais il ne donnait pas l'impression d'être au bord du gouffre. Alors pour quelles raisons s'être décidé à changer radicalement de cap avec les risques immenses que ça comporte ? Les spécialistes y vont de mille explications : le chaos économique, l'incapacité des forces armées à rester dans le coup à l'heure de la « *guerre des étoiles* » et le reste. Je vais vous la dire, moi, la raison fondamentale du remue-ménage actuel : le Parti a soudain pris conscience que ses membres ne participaient plus qu'à la marge aux réseaux maffieux qui font tourner le pays.

Satisfait de m'avoir assez appâté pour que je grimpe sur le tabouret à côté de lui, il nous a commandé d'autorité une double vodka :

— Les maffias dans la patrie des travailleurs, ce n'est pas d'hier ! Depuis la disparition du regretté Staline, elles tiennent le pays. Longtemps, elles ont respecté les apparences. Leurs chefs étaient membres du Parti. Ils buvaient à la mémoire de Lénine et à la santé de Brejnev, et en fin de mois ils arrosaient comme il fallait leurs camarades. Seulement voilà : depuis quelque temps, ils ne se donnent même plus cette peine.

Il a éclaté d'une de ces quintes de rire qui tiennent la Conférence sous le charme.

— Sans voir venir le coup, la fameuse *avant-garde du prolétariat* s'est retrouvée à poil ! Expropriée de son pouvoir comme peuvent l'être de vulgaires bourgeois au lendemain du Grand Soir ! Dans l'économie d'abord. La plupart des sociétés d'État sont devenues des coquilles vides. En leur sein, fonctionnent des entreprises occultes. Ce sont elles qui produisent tout ce qui est vendable sur le marché. Pas besoin de dire qu'elles appartiennent aux gangs. On commence à parler dans la presse d'éventuelles privatisations. C'est une plaisanterie ! L'essentiel du travail est déjà fait ! La nouvelle étape, ça va être la prise du pouvoir politique par les rois de l'économie. Marx a très bien expliqué ça ! Le processus est déjà bien amorcé. Dès qu'on s'éloigne un peu de Moscou ou de Leningrad, on constate que la plupart des apparatchiks du Parti sont devenus de simples employés des maffias. Des employés traités comme des chiens. Et ce n'est qu'un début !

Cette description de l'ampleur de la catastrophe, il faut le reconnaître, ne paraissait pas trop le désespérer. Il a levé son verre :

— À Mikhaïl Serguïevitch Gorbatchev ! Pas simple, sa tâche ! Après beaucoup d'hésitation, ses pairs l'ont choisi pour tenter de reprendre la main. Bien de sa personne, jeune et honnête, roublard dans l'action, mais naïf sur le fond, il était la dernière carte qu'il leur restait à jouer. Bien évidemment, il ne peut que se planter. L'édifice est vérolé jusqu'à la corde, il va s'écrouler, par pans entiers, au cours des toutes prochaines années. Bien des Empires dans le passé se sont ainsi émiettés. Le petit fait nouveau dans le cas soviétique, c'est qu'il y a quelques milliers d'ogives nucléaires enterrées aux quatre coins du territoire.

À ce point de son discours, il n'a pas éclaté de rire. Il a même attendu une minute ou deux avant d'avaler sa vodka, cul sec comme les précédentes.

— Mieux vaut ne pas faire de vieux os ! a-t-il conclu, les yeux perdus dans la profusion de bouteilles qui l'observaient de l'autre côté du comptoir.

Discrètement, je suis descendu de mon tabouret, et l'ai abandonné à ses démons.

Pelotonnée au bord du lit comme s'il lui fallait être à chaque instant prête à bondir pour échapper aux griffes ennemies, Zorica dort à poings fermés. Sur la table de nuit, elle m'a laissé un papier où elle a griffonné au stabilo rouge : « *Le baiser est la plus sûre façon de se taire en disant tout.* Signé : *Brancusi.* » Elle a laissé ouvert le livre à la page où est reproduite la sculpture de ce nom. Voici quelques jours, elle s'est plongée dans les bouquins que j'avais achetés à Beaubourg pour alimenter ma croisade contre Milescu. Elle s'est entichée de l'artiste au point de m'avoir entraîné, grippée pourtant, à une nocturne de la *Tate*.

— C'est le premier type du coin de planète d'où je viens qui ose affirmer qu'il ne croit pas en la *souffrance créative* ! J'ai vraiment besoin de fréquenter quelqu'un comme lui en ce moment. D'ailleurs toi aussi. Avant de débarquer à Belgrade, il vaut mieux être vacciné !

Plusieurs fois déjà, j'ai eu droit de sa part à ma citation. Comme le premier Milescu venu…

Mercredi 13 décembre 1989

D'une voix glaciale, le Directeur du personnel m'a annoncé que le Ministre avait donné son accord à ma candidature yougoslave. Il avait même paru fort satisfait : six mois à peine après avoir pris la Direction d'Asie, Ambérieux, son protégé, pourrait, grâce à moi, être nommé à Tokyo ! Un scandale, qui faisait des remous dans toute la maison.

Il ne m'a pas caché son exaspération :

— De quoi j'ai l'air avec tes conneries ! Dire que je me suis battu pour que ce salaud de Grandin s'écrase ! Ma seule consolation, c'est qu'à Belgrade, tu vas en chier ! Tu en es conscient, j'imagine ? Tito est mort, on t'a prévenu peut-être ? L'éclatement du pays n'est plus un cauchemar pour diplomate saoul. Lis le télégramme qu'a envoyé ce matin ton *prédécesseur*, puisqu'il faut bien l'appeler ainsi maintenant : ces salauds d'Oustachis ne pensent plus qu'à ça. Et ces cons de Slovènes et de Bosniaques suivront. Bref, c'est leur affaire ! Et la tienne désormais !

Gris et grisonnant, le nouveau chef de la délégation soviétique est parfaitement absent de nos discussions. La *ZIL Tantal* d'où il descend chaque matin escorté de ses deux gardes du corps n'est plus astiquée ni même lavée depuis le départ de Grigori. C'est Malevitch seul qui parle désormais au nom de son pays, mais la haine que lui portent ses compatriotes présents a fini par avoir raison de sa belle mine.

De sa voix très douce, Claudine m'a annoncé que, selon ses informations, Leroux et son gentil camarade polonais avaient enfin mêlé leurs destins. Et comme je remarquais qu'une si longue attente devait leur avoir causé un sacré traumatisme, elle a souri :

— Il ne s'est passé que quatorze ans depuis la Conférence d'Helsinki ! Tout juste l'âge que Shakespeare donne à Juliette.

Pour la remercier de son appui tout au long de la Conférence, je l'ai invitée à dîner avec Kugelman. Toute la soirée, celui-ci a mis en garde contre ce qu'il appelait « *le déferlement de violence privée* » qui risquait de suivre la fin du monde communiste. Il nous en a fourni plusieurs illustrations. À Bonn, par exemple, on lui avait expliqué que le patron de Springer, le plus important groupe médiatique du pays, préparait très activement la diffusion de son quotidien à l'Est. Il avait déjà passé des accords informels avec plusieurs des entreprises d'État qui impriment aujourd'hui la presse du Parti. BILD, déjà cinq millions d'exemplaires, et l'un des pires torchons de la presse occidentale. Anticommuniste viscérale et n'ayant pas sa langue dans sa poche, Claudine écoutait, parce qu'il n'y avait rien à dire.

Zorica. Insidieuse, la peur de la perdre s'est glissée en moi.

Jeudi 14 décembre 1989

Paul de Geer s'est tué. En voiture, tard dans la nuit. Un tournant juste avant d'arriver à Pauillac où se trouve son château. C'est Vachilev qui m'a annoncé la nouvelle. Il était visiblement sous le choc. Une étrange relation s'était nouée entre les deux hommes. À cause de leur commune passion pour l'œnologie au début, et peu à peu, je crois, parce qu'ils étaient tous deux des paumés sur cette planète, l'un l'aristocrate belge désabusé, perclus de contradictions, l'autre le militant bulgare revenu de tout. J'ai dit mon regret, et que je savais sa particulière tristesse à lui. Il a remercié, et soudain il m'a annoncé que la Bulgarie se rallierait le moment venu au projet de *Déclaration* que nous avions mis au point. Il n'en avait plus rien à foutre de toutes ces histoires, et particulièrement de ce que penseraient de son initiative ses petits camarades à Sofia, qui d'ailleurs avait quelques autres préoccupations en ce moment. Qu'à ce stade, je garde cette information pour moi !

Zorica avait encore une soirée avec des compatriotes de passage. J'ai donc invité Vaclav à un nouveau dîner en tête à tête.

La curieuse impression de nous connaître depuis vingt ans. Ce qui, après tout, est la réalité, même si nous avons eu notre première conversation digne de ce nom voilà tout juste dix jours. J'étais résolu cette fois à y aller de toutes les questions que, comme dit l'autre, j'avais toujours voulu et jamais osé poser. Et d'abord jusqu'à quel point, lui, il avait cru au système.

J'ai eu droit à une réponse un peu trop sage :

— Nous avions vraiment la volonté de bâtir une société juste et dynamique, mais en même temps, nous devions bien constater que notre volontarisme à tous crins se heurtait à la réalité des êtres humains, et qu'elle nous amenait pour avancer à faire des bêtises, voire à commettre des actes inexcusables.

Alors je l'ai interrogé bille en tête sur son attitude durant le Printemps de Prague. Il m'a expliqué qu'à ce moment-là, il suivait les cours de l'École diplomatique de Moscou.

— Une belle réussite pour un fils de *paysans pauvres*, comme on disait, qui s'étaient rencontrés au hasard de la Résistance. Pas besoin de dire que j'étais alors sous l'influence complète de Moscou et du Parti. De retour à Prague un an après l'intervention soviétique, de vieux amis m'ont raconté ce qu'ils avaient vécu. Il m'a fallu du temps pour admettre qu'une grave erreur avait été commise, et que nous la paierions sans doute un jour. Mais que faire ? Il fallait rester dans le système pour le faire évoluer de l'intérieur vers plus de morale et d'efficacité. Il n'y avait pas d'alternative. Sauf à déserter en allant élever des kangourous au fin fond de l'Australie ! Bref, comme j'avais appris le japonais à l'Académie, je me suis envolé pour Tokyo.

Il s'est arrêté un instant, l'œil amusé :

— Tokyo où nous nous sommes rencontrés, si l'on peut dire…

Nous sommes tous deux partis d'un éclat de rire libérateur. Nous avons convenu de poursuivre ce débriefing. À Londres, Paris ou Prague. Ou bien dans le *bush* australien s'il lui fallait aller là-bas gagner ses bretzels à la sueur de son front.

Zorica est rentrée très tard de son dîner yougoslave.

— Ils sont tous devenus dingues, a-t-elle laissé tomber. À force de parler d'en découdre, ils finiront par s'étriper pour de bon !

Pour la première fois, elle m'a paru presque résignée.

Vendredi 15 décembre 1989

Nous voici arrivés au jour initialement prévu pour la clôture ! À cause de ces maudits Roumains et des lubies de

Maggie, nous ne savons toujours pas quand se terminera notre calvaire.

L'homme de nos services spéciaux a eu la conscience professionnelle de traverser une seconde fois la Manche pour renifler notre Conférence. Venu me présenter ses devoirs, il en a profité pour me raconter, les yeux brillants, la virée qu'il venait de faire à Moscou. Le KGB avait, en effet, adressé à son homologue français une invitation en bonne et due forme pour « *une première prise de contact* ». Avec son chef de secteur et deux collègues, ils avaient passé trois jours à l'ombre du Kremlin.

— Vous imaginez : nous, à Moscou ! Le dernier jour, ils nous ont même reçus à la Loubianka. On n'en croyait pas nos yeux ! Parler calmement avec les gars qui nous canardaient pour de bon il y a encore six mois ! On ne s'est pas dit grand-chose, bien sûr, sauf qu'il fallait apprendre à se connaître. On va les inviter à notre tour d'ici quelques mois. Le boulevard Mortier a moins d'allure que la place Loubianka avec la statue de Dzerjinski au milieu, mais tant pis.

Ce qui avait le plus estomaqué les Français, c'était que leurs interlocuteurs ne boivent pas une goutte d'alcool. Trois jours de régime sec ! Heureusement dans le vol de retour, l'un d'eux connaissait le pilote, et Air France avait mis les petits verres dans les grands. Il s'interrompit :

— C'est pas tout ça ! Il faut continuer à faire notre boulot.

Il s'est levé. De sa poche, il a sorti un paquet de Gauloises, qu'il m'a tendu. Et devant mon étonnement :

— Notre nouveau gadget. 250 photos, de super-qualité. Bien sûr, les Soviétiques ont mieux, mais nous, on fera avec.

— Le Système D, comme d'habitude ! Vous comme nous, on est logés à la même enseigne.

Ma soudaine complicité lui a été droit au cœur. Il m'a adressé un sourire reconnaissant avant de me saluer avec déférence. Et il est parti gagner sa vie comme si de rien n'était.

J'ai prononcé l'éloge funèbre du pauvre Paul de Geer dans la salle de conférences. « *Un francophone*, m'avait dit Sir Alec avec sa morgue habituelle. *C'est à vous d'officier !* » En dehors du petit groupe de ceux qui à ses yeux étaient du bon côté de la seule frontière digne de ce nom, personne ne le connaissait parmi les participants de la Conférence. On avait tout au plus croisé sa haute silhouette emballée dans un prince-de-galles sans un pli, et, de loin, entendu sa voix si lasse. Par un étrange cheminement, il se trouvait que la relation exceptionnelle qu'il avait tissée avec Vachilev allait permettre le ralliement imprévisible, et peut-être décisif, de la Bulgarie à notre texte. Bien sûr, personne ne m'a cru quand j'ai affirmé que le défunt avait joué un rôle important dans la gestation de l'ambitieuse *Déclaration* dont on pouvait espérer qu'elle serait adoptée d'ici quelques jours. De toute manière, on m'a écouté parce qu'on ne pouvait faire autrement. J'ai été bref, et une minute de silence est vite passée.

Depuis plusieurs jours, on ne voyait plus Sybil et Elsa dans les cabines de traduction. Claudine avait seulement appris que leur copine, l'Allemande de l'Est qui depuis des années attendait en vain son visa pour l'Ouest, « *avait rappliqué un beau matin* ». Elle n'en savait guère plus sinon que Sybil et Elsa avaient demandé en catastrophe à Schuster la résiliation de leurs contrats et quitté Londres sans dire au revoir.

Un nouvel épisode, triste ou burlesque, ça reste à voir, de *La Chute du Mur*, la superproduction où nous faisons la figuration.

Carlos continue de loin en loin à échanger trois phrases avec le diplomate chinois qui a pris racine dans la tribune diplomatique déserte. Plus loquace que d'habitude ce matin, le jeune homme lui a demandé avec le plus grand sérieux ce que voulait exactement dire l'expression « *tournant de l'Histoire* » qu'il lisait sans cesse dans les journaux européens.

La question était tellement inattendue que Carlos est parti d'un énorme éclat de rire. Devant la surprise peinée de son interlocuteur, il s'est cru obligé de répondre à sa curiosité. Tout de suite, l'autre s'est emparé d'un bloc pour consigner ces paroles autorisées. À l'idée qu'à Pékin, tout le Comité central allait gravement peser chacun des mots prononcés sur cet important sujet par « *l'ambassadeur d'Espagne à la Conférence de Londres* », Carlos a fait en sorte de se montrer aussi inquiétant que possible sur l'avenir du communisme en Europe.

Juste avant que Sir Alec siffle la fin de la séance de l'après-midi, Malevitch a traversé la salle pour venir vers moi. Il avait le visage décomposé :

— Sakharov est mort, a-t-il juste jeté avant de s'éloigner.

— D'un banal arrêt cardiaque, ont relativisé deux ou trois collègues avec qui je bavardais avant de quitter le Centre de conférences.

Une formule qui me fait toujours un drôle de pincement du côté des ventricules.

Malevitch semblait dans un tel état de détresse qu'avec Zorica, nous avons décidé de l'emmener dîner. Il nous a raconté qu'une bonne partie des membres de sa délégation exultaient. Enfin il avait cassé sa pipe, ce salaud de dissident, agent de l'impérialisme, que Gorbatchev avait tiré de son assignation à résidence à Gorki pour en faire le vivant symbole de sa *perestroïka*.

Très vite, Zorica et lui se sont mis à parler russe. Pour ne pas les déranger, j'ai fait comme si je comprenais ce qu'ils disaient. Sans impatience ni déplaisir. Les langues me fascinent de plus en plus. Je suis capable d'écouter pendant des heures des locuteurs pour moi incompréhensibles, dès lors que leur musique me touche. Ce que je fais à la Conférence en débranchant la traduction, par exemple, quand Werner ou Hans Muller parlent leur langue dont je ne sais rien. La régression à l'état pur : le bonheur simple du fœtus qui se repaît du flux verbal maternel. Quand ils sont revenus à l'anglais par égard pour moi, je me suis presque senti agressé.

— L'ignominie du traitement réservé à des dissidents comme Sakharov a autant fait pour convaincre le *Guensek* de la perversion intime du système que les détestables performances de la machine soviétique, nous a-t-il assuré avant que nous le laissions à l'hôtel bon marché où il loge avec la plupart des délégués de l'Est.

Samedi 16 décembre 1989

Zorica a prévu de passer Noël en famille. Chez ses parents à Ljubljana.

— Mes fils et mon mari seront là. C'est sans doute la dernière fois que nous nous retrouverons tous en Slovénie. Mes parents vont très mal, la Yougoslavie pire encore. Il faut que tu le saches : je vis la peur au ventre. Qu'est-ce qui va se passer si la guerre civile éclate ? Ivo, mon mari, est plus serbe que nature, il ne jure plus que par Milosevic et ses sbires, de vrais extrémistes. Mes fils n'ont qu'une envie : décamper avant qu'il soit trop tard, s'installer aux États-Unis ou en Australie et ne plus jamais entendre parler de cette pétaudière. Bon, il faut que je me calme. Cette année encore, on pourra faire semblant qu'on est une vraie famille dans un vrai pays.

Pour la première fois, cette nuit, elle m'a dit qu'elle ne vivait plus avec Ivo. Depuis des années.

Dimanche 17 décembre 1989

Baisser de rideau de la Conférence fixé « *en principe* » au 20. La dame Thatcher n'a plus le moindre créneau à proposer à Duval-Veyron. J'ai fini par dénicher l'intéressé au fond de sa cambrousse. Il m'a fait des remarques si déplaisantes que je lui ai suggéré de la façon la plus catégorique de ne pas se déranger. Mal m'en a pris, car en définitive il a décidé d'arriver l'avant-veille de la clôture. Il n'avait plus besoin d'une photo historique, juste d'une voiture pour faire ses courses de Noël.

Rancourt au téléphone, débarrassé de son humeur funèbre d'il y a quelques jours :

— Allons, soyez sincère : vous ne les regrettez pas, vos Asiates ! C'est quand même autre chose, ce qui se passe dans notre petit coin du monde ! Des événements sans précédent dans l'Histoire depuis bien des lustres. Je ne vous le cacherai pas, ce sont des moments nostalgiques pour moi. Jivkov et Husak [1] sont mes compagnons de lutte.

[1] Todor Jivkov (1911-1998), Président de la République populaire de Bulgarie de 1971 à 1989 ; Gustav Husak (1913-1991), Président de la République populaire de Tchécoslovaquie de 1975 à 1989. (*Note de l'Éditeur*)

Car le vrai compagnonnage, les années venant vous l'avez compris, c'est avec les vieux ennemis qu'on l'a. Bon, il faut savoir passer la main, même celle de ses camarades d'en face.

Il s'est arrêté. Son souffle un peu court a fait tousser la ligne. D'une voix soudain joyeuse, il a repris :

— Il doit y avoir une sacrée ambiance dans votre paquebot amarré au pied de Big Ben, avec la Dame de fer comme concierge ! J'imagine que vos collègues du camp d'en face manquent cruellement d'instructions, et on ne leur a pas vraiment appris à se conduire tout seuls dans le vaste monde. Ce n'est évidemment pas votre problème à vous ! J'en donnerais ma main à couper, Tromelin : vous avez décidé de prendre la barre en main sans rien demander à personne. Ne protestez pas ! Sous les apparences d'un fonctionnaire réservé et loyal, vous êtes un intrigant, avide d'imprimer votre marque personnelle sur notre pauvre monde.

Il a repris son souffle :

— Vous avez fait ce que vous deviez faire. Mission accomplie, bravo ! Pour continuer à vous rendre utile, il vous faut maintenant lever l'ancre du paquebot sur lequel vous êtes embarqué. Une Arche de Noé, voilà ce dont le monde de demain aura besoin. Que nos descendants retrouvent un jour, quand les eaux se seront retirées, un couple d'Allemands de l'Est, un autre de Tchèques, et la suite, en parfait état de fonctionnement. Pour sauvegarder la mémoire collective ! Ce ne va pas être facile de se rappeler comment c'était, un apparatchik de l'ère soviétique. Pour ne pas parler d'un Mur. Un vrai Mur sectionnant un continent tout entier, comme un sillon sanglant. Oubliez votre Conférence, Tromelin, désormais elle est derrière nous. Levez l'ancre ! La postérité vous en sera éternellement reconnaissante !

Il y a été de ce petit éclat de rire canaille qui impressionnait jadis autour de la table du Conseil de sécurité. Avant de raccrocher sèchement, honteux peut-être tout à coup de sa plaisanterie de potache.

Zorica souhaitait m'inviter pour fêter ma nomination à Belgrade. Pas une initiative tout à fait à mon goût... Par je ne sais quelle bravade, je lui avais dit que j'aimerais aller dîner dans une *sushiya.* L'endroit qu'elle a choisi était recommandé par tous les guides. Un peu crispée au début, elle a fait ce qu'il fallait pour se montrer à la hauteur de cet environnement nippon dont elle ne sait rien. Plus les minutes passaient, en revanche, plus moi, je me mettais à détester le cadre et ce qu'on mangeait. Comme si j'avais déjà fait mon deuil du Soleil Levant.

Nous sommes sortis dans le vent glacé de Kensington. Puant le saké à pleine bouche, nous avons zigzagué jusqu'au *Carlton.* Une longue trotte, à rire comme des gamins de notre idiotie et de celle du monde.

Réveillé en plein milieu de la nuit, j'ai constaté que non seulement Zorica avait négligé de mettre de l'ordre dans sa cargaison de journaux, mais qu'elle avait jeté ses fringues aux quatre coins de la chambre. Chacun va à vau-l'eau désormais !

Lundi 18 décembre 1989

Malgré les émeutes qui viennent d'éclater à Timisoara, Ceausescu a quitté sa capitale comme si de rien n'était pour une visite d'État en Iran. Aux yeux de Bourrelier, c'eût été, j'imagine, une preuve de plus de l'inépuisable singularité roumaine.

Le misérable projet de *Déclaration sur les échanges européens en matière d'information* trouvé à notre arrivée s'est donc transformé en une *Déclaration pour un nouvel ordre européen de l'Information* qui ne manque pas d'allure. En tout cas, c'est le premier texte à marquer publiquement une ouverture significative entre les deux parties de l'Europe.

Pour autant, bien sûr, qu'il ne soit pas tué dans l'œuf par l'absurde procédure du consensus ! S'agissant des Allemands de l'Est, j'imagine que Werner trouvera un biais pour convaincre, sinon Muller, du moins les *communistes réformateurs* qui viennent de former un nouveau gouvernement à Berlin et paraissent soucieux de multiplier les gestes symboliques... Restent les Roumains ! Malgré ce qu'avance Malevitch, il est loin d'être sûr qu'à Bucarest, le peuple se décidera à faire son devoir.

Le bon Harry Marx m'a pris à part à la sortie de la réunion où nous avons enfin mis un point final au texte sur les conditions de travail des journalistes. Je n'avais jamais remarqué à quel point, sous une jovialité de surface, il paraissait épuisé. Nous avons été nous asseoir.

— Je ne sais pas si je pourrai assister à nos dernières rencontres, a-t-il commencé. Sauf à la séance de clôture, bien sûr, où je viendrai, sur un brancard s'il le faut. Oui, j'ai quelques petits problèmes de santé. Qui n'en a pas ? J'ai soixante-treize ans, vous savez. Bon, je voulais juste vous dire que j'ai été content de faire votre connaissance. Nous n'avons pas beaucoup parlé ensemble, mais nous avons tiré dans la même direction, c'est ça qui est important. J'ai beaucoup appris durant ces deux mois. Sur le monde et sur les autres.

Sur moi-même aussi. J'ai passé ma vie dans les affaires, le nez sur les chiffres. Un jour, je venais enfin de me retirer, ma femme et ma fille unique sont mortes, un accident idiot. Depuis, je me suis traîné comme une limace. D'autant que ma santé... Tout cela est sans intérêt ! L'important pour moi, c'est qu'à cette Conférence où le Vice-président a bien voulu m'envoyer, j'ai trouvé... les mots appropriés ne me viennent pas... j'ai trouvé comme une famille. Heikki, Werner, Carlos, Ted, vous, d'autres... Finalement, j'ai été heureux au milieu de vous tous, et Dieu a fait en sorte que nous nous rencontrions à un moment où la planète semblait vouloir enfin bouger. Je tenais à vous le dire. À vous remercier aussi et à vous souhaiter plein de choses, pour vous et pour tous les vôtres.

Avant qu'elle s'endorme, j'ai avoué à Zorica que notre soirée chichiteuse dans son restaurant japonais à la gomme m'avait donné par contrecoup l'envie de me plonger dans ses Balkans couleur de sang. Qu'elle ne crie cependant pas victoire trop tôt : elle n'y couperait pas à des séjours, là-bas où le jour se lève bien avant chez nous.

Mardi 19 décembre 1989

J'ai fait savoir à Duval-Veyron qu'il n'y avait plus de date prévue pour la clôture. Il me l'a reproché sur un ton que j'ai mal pris.

— Eh bien, je ne viendrai pas, Monsieur l'Ambassadeur. Tant pis pour vous !

Devant mon absence de réactions, il s'est radouci.

— Bon Noël quand même ! a-t-il lancé avant de raccrocher.

Helmut Kohl à Dresde. « *Unité, unité !* » hurlait la foule sur tous les écrans de télévision du bar.

Malgré tous ses efforts, Werner n'arrivait pas à cacher son émotion. En l'absence de leur chef, en consultation à Berlin, les membres de la délégation est-allemande assuraient le service minimum.

— Il n'y aura pas de *voie particulière* en Allemagne de l'Est, a confié Werner à l'un de ses collaborateurs, qui se trouve être un vieil ami de Claudine. Si l'unification se fait, et elle se fera car rien désormais ne peut se mettre en travers d'une trajectoire à ce point inscrite dans les cœurs, nos compatriotes de l'Est deviendront des citoyens comme les autres de la République fédérale. Tout ce qui singularise la DDR, y compris les rares points positifs qu'on y peut relever en matière éducative ou sociale, est condamné. Face aux difficultés de toutes sortes qui surviendront, l'Allemagne ne pourra pas se payer le luxe d'être un pays à deux vitesses.

Des propos sans équivoque, qui reflètent sans doute le point de vue de pas mal de responsables à Bonn. J'ai décidé en définitive de ne pas les porter à la connaissance du Département. On n'y est que trop disposé en ce moment à écouter les sirènes germanophobes qui s'étalent dans la presse. Que nos collègues à Bonn fassent leur travail !

Pour la dernière fois sans doute, compte tenu de nos emplois du temps jusqu'à la fin de la Conférence, nous nous sommes retrouvés au *John Soane*. Arrivé en retard, j'ai eu du mal à la découvrir, et ressenti le pincement de cœur qui va avec. C'était sa faute car elle avait inversé les règles et m'attendait dans *ma* salle, celle des danseuses

Ming. Une infidélité à nos règles que nous nous sommes pardonnée.

C'est donc à Sarajevo que nous nous retrouverons le 31 décembre, l'endroit où elle a passé une grande partie de son adolescence.

— C'est la meilleure des antichambres à la Yougoslavie, m'a-t-elle assuré. Il est grand temps que tu commences à découvrir le pays de cocagne où tu vas passer les plus belles années de ta vie.

— D'autant, ai-je rétorqué, qu'en avril, quand je débarquerai avec mes lettres de créance, personne ne peut m'assurer que je trouverai encore quelqu'un à qui les présenter.

À son regard, j'ai compris qu'elle me reconnaissait le droit maintenant de faire dans la dérision à ses côtés.

De l'impériale du bus qui nous ramenait au Centre de conférences, nous avons aperçu devant une vitrine de fringues le petit Leroux et son beau Polonais, très convenables, mais l'un tout contre l'autre.

— Un tel spectacle, a raillé Zorica, justifie la chute de tous les Murs du monde !

J'ai jugé équitable de rappeler qu'en sens contraire, le même événement avait bousillé le couple idéal que formaient Sybil et Elsa. Tout à coup, Zorica a éprouvé le besoin de me parler de sa relation personnelle avec le Mur :

— Durant mes cinq années à Berlin, j'ai passé un temps fou à traîner du côté du Mur. Plus encore que les kilomètres de béton, c'était la forêt de blockhaus et de miradors qui m'attirait. Sans parler des stations de métro fantômes, des fils coupés net en haut des pylônes électriques... On peut dire que je la connaissais, cette machinerie colossale où la RDA a englouti, outre son âme, un paquet de milliards qui lui auraient été bien utiles ailleurs ! Mon brave chauffeur monténégrin avait mission de m'en faire découvrir les dédales. Bien sûr, dans chacune de ces promenades, une voiture de la STASI[1] me suivait. Au début, elle essayait de se faire discrète, puis avec le temps elle n'a même plus cherché à sauver les apparences.

Zorica a fermé les yeux. Comme je l'avais souvent constaté, ces années berlinoises ont beaucoup de mal à passer.

— Ce symbole accablant de la perversion de tous nos rêves me fascinait. Une névrose comme une autre ! Il m'arrivait de parler de mes excursions à mes interlocuteurs officiels, à Hans Muller, par exemple. Juste pour tenter de leur gâcher leur journée. Mais je crois que je n'y suis jamais parvenue tant ils étaient tous cadenassés dans leur logique de « *légitime défense face à l'agression impérialiste* ».

Elle a posé sur moi un regard triste.

— On est en train de le raser, ce Mur immonde. Très bien ! Mais les collectionneurs du monde entier déjà s'en disputent les dépouilles à grand renfort de dollars. On vient même d'organiser une vente aux enchères à Monte-Carlo. Un mois après l'événement ! Et pourtant en essayant de le franchir, ce Mur, des centaines de gens ont été tués et des milliers d'autres se sont retrouvés pour des années en prison. Le monde qui arrive ne me plaît pas vraiment... Et puis merde, on ne va pas porter sur les épaules jusqu'à notre mort toute l'absurdité de la galaxie !

Mgr Macchioli va nous quitter. « *Demain matin, juste après avoir célébré la messe* », m'a-t-il annoncé avec le sourire discret, mais ferme, que l'on doit aux sans-Dieu. Après les banalités d'usage, il s'est félicité de l'initiative que j'avais prise, avec Carlos, Kratowski et les autres :

[1] Nom de la police politique en République démocratique allemande. (*Note de l'Éditeur*)

— Vous l'avez fait au bon moment, et avec un courage méritoire. Vous verrez, la *Déclaration de Londres*, ainsi qu'on commence déjà à l'appeler, aura un grand retentissement en Europe. Un grand impact aussi. En ce qui me concerne, en tout cas, sachez que j'ai usé de l'influence modeste dont je peux disposer auprès de certaines délégations pour les encourager à soutenir le texte qui est maintenant sur la table de la Conférence. Pas besoin de vous dire que j'ai attiré l'attention du Saint-Siège sur l'importance de ce qui est en train de se passer ici.

Puis il m'a pris par le bras et entraîné jusqu'à un recoin du hall où une banquette nous attendait :

— En définitive, reconnaissez, mon cher ambassadeur, que vous avez été moins malheureux ici que vous ne le redoutiez. Les problèmes de notre continent ne manquent pas d'intérêt, vous avez pu le constater. Il est vrai que les circonstances ont été particulièrement stimulantes. Et nous n'en sommes qu'au début. Le vent du changement va balayer l'Europe pendant une longue période, avec les risques immenses que cela implique. Il est dommage, maintenant que vous commencez à connaître ces affaires, que vous ne participiez pas à la gestion de la période très difficile qui s'annonce. Si par malheur votre nomination à Tokyo se heurtait à des obstacles imprévus, n'hésitez pas ! Choisissez une affectation dans cette région du monde. La vôtre, après tout ! Vous y rendriez, j'en suis sûr, d'éminents services. Et ça nous fournirait l'occasion de nous revoir. Peut-être même pourrions-nous alors réfléchir ensemble à certaines actions susceptibles d'aider les nouveaux dirigeants de ces pays à y voir plus clair.

Sous ses airs de théologien à côté de ses frocs, non seulement notre bon collègue est impliqué dans les affaires de ce monde, mais il dispose en plus d'informateurs aux bons endroits. Une « *couverture* » de rêve, finalement, la rédaction d'un traité sur *L'Économie de la Rédemption...*

— À partir de demain, m'a expliqué Kratowski, Mgr Macchioli participe à Rome à la réunion annuelle des nonces en résidence européenne. On ne peut exclure qu'à cette occasion, on annonce sa nomination à un poste. En Europe de l'Est, sans doute, où le Saint-Siège prépare très activement sa rentrée. Notre ami a le grade pour occuper une telle fonction. Et je me suis laissé dire que ses rapports sur notre Conférence ont beaucoup intéressé en haut lieu.

Appel téléphonique de Didier Pierrelatte :

— Alors, finalement, vous allez l'avoir, votre *Déclaration* ! Pour autant, bien sûr, que les Allemands de l'Est et les Roumains se laissent convaincre... Mais je vous fais confiance. Eh bien, bravo ! J'ai réfléchi. C'est vous, naturellement, qui aviez raison. Ce texte va beaucoup nous aider quand nous allons nous mettre à lancer ou à racheter des journaux dans les pays de l'Est. Les signataires n'auront plus la possibilité de nous mettre les bâtons dans les roues. La liberté de la presse, ça veut dire ça, n'est-ce pas ? Merci donc de ce que vous avez fait, et à bientôt ! J'aurai le plaisir sans doute de vous revoir bientôt à Belgrade. Plusieurs de nos membres s'intéressent à ce pays. Bonne fin de conférence, Monsieur l'Ambassadeur !

Je n'ai pas gardé le souvenir qu'on se soit payé ma tête avec autant d'outrecuidance. J'ai particulièrement mal digéré ce petit couplet fielleux sur Belgrade, alors qu'il n'y a pas dix personnes à Paris au courant de ma nomination. L'envie de le tuer d'autant plus que je sais pertinemment que lui, comme tant d'autres, il ne me le paiera pas !

Eva Bengtson m'a abordé, la mine sombre :

— La catastrophe ! Stockholm vient de m'appeler. Ils

me nomment à Belgrade. Débarquer dans un pays pour assister à son dépiècement, tu imagines ! Si encore les Yougoslaves faisaient comme les Norvégiens et nous quand nous avons divorcé en 1905 – « *Bye bye et bien des choses chez vous !* » –, mais ils vont s'étriper. S'étriper à la baïonnette, tu verras ! Ou plutôt tu ne verras rien, puisque tu seras accroupi sur un tatami à siroter ton thé vert et tes geishas aux dents noires.

Je l'ai consolée comme j'ai pu en lui démontrant que le malheur qui lui arrivait était la preuve irrécusable de la survie d'*Old Nick* dans notre pauvre monde.

Nous étions une centaine à avoir pris place dans le boyau de l'East End où nous avions vu au début du mois ce ridicule *Richard III*. Piqué au vif par ma proposition de monter une pièce pour nous montrer de quoi le théâtre était capable, Coriolis s'était exécuté. Avec l'appui de ses camarades britanniques d'*Acteurs sans frontières*, dans la plus grande discrétion il avait accouché d'un texte et trouvé le temps et les moyens de le mettre en scène. Impossible pour moi de ne pas être présent ! J'avais mobilisé toute la délégation française. De leur côté, Carlos et quelques autres avaient fait ce qu'il fallait pour remplir la salle. Kratowski, Malevitch et Vacek représentaient l'Est. Jusqu'à Mgr Macchioli, malgré son départ matinal le lendemain, qui avait tenu à assister à la représentation.

Un haut mur coupait la scène en deux, séparant hermétiquement *Cour* et *Jardin*. Nous avons eu droit, en accéléré, à une tragique et souvent drolatique Histoire du « *dialogue Est-Ouest* » depuis 1945. Sans se voir ni s'entendre, les acteurs jetaient leurs répliques comme on crache en l'air. De temps à autre, tout de même, ils se risquaient à communiquer d'un côté à l'autre en hissant des messages au bout d'une perche.

Collage d'extraits de discours et de déclarations officielles, le texte était joué à un rythme d'enfer. Au fur et à mesure qu'avançaient ces deux soliloques, les deux moitiés de la scène s'emplissaient d'armements de tout poil. La pièce en arriva à notre Conférence à nous, un dialogue de sourds autour d'une table coupée en deux par le Mur. À califourchon dessus, facilement identifiable avec ses grands airs et son bégaiement si bon genre, Sir Alec faisait comme s'il présidait l'exercice. Les autres acteurs étaient anonymes, mais il n'était pas difficile de comprendre que nous étions tous là sur la scène à faire nos numéros.

Est enfin arrivée la chute du Mur. Les acteurs ont exhorté le public à venir mettre la main à la pâte. Devant l'insuccès de leurs appels, pressants et bientôt angoissés, il m'a bien fallu montrer l'exemple. Après tout, c'était moi qui avais poussé à ce happening absurde... Toute la salle a suivi. À grands coups de poing, nous avons disjoint les cubes qui formaient le Mur. Dans la foulée, nous avons déchiqueté les tanks et les missiles en carton-pâte avant de réduire en bouillie le mobilier de notre Conférence.

Du passé ayant ainsi fait table rase, la morale de l'Histoire n'était pas trop difficile à deviner : sur ce tas de ruines, maintenant, c'était à nous de jouer...

Pour saluer comme il le méritait cet événement artistique, j'avais apporté du champagne, et Carlos je ne sais combien de caisses de son rioja familial.

— Quel moment de théâtre ! répétait Coriolis. Penser que, de vos propres mains, vous avez démoli jusqu'au décor de votre Conférence !

Avec une autorité que nous ne lui soupçonnions pas, Mgr Macchioli a levé sa coupe de champagne « *à tous ceux qui participaient à cette superbe soirée* » ainsi qu'à l'Europe nouvelle qui se profilait.

— En ces temps de bouleversements accélérés, a-t-il affirmé, nous risquons de perdre tous nos repères. La pièce à laquelle nous venons d'assister a montré avec éloquence sur quel champ de décombres nous campons désormais. Que Dieu, quelque nom que nous lui donnions, veille sur nous et sur notre continent en ces moments difficiles !

— À l'Europe, notre *maison commune* ! a renchéri Malevitch. Et à la Liberté éclairant le Monde !

Afin d'éviter que chacun ne se croie obligé d'exprimer son point de vue sur l'avenir de l'espèce, j'ai donné sans ménagements le signal du départ.

Mercredi 20 décembre 1989

Vendredi dernier, Hans Muller était parti passer le weekend en République démocratique. Histoire de prendre le pouls de la situation, pensions-nous. Ou de se recaser avant qu'il soit trop tard, avaient soutenu quelques autres. Lundi, il n'était pas revenu. Ce matin, Werner m'a annoncé sa mort. Arrivé à Berlin, sans prendre le moindre contact avec ses camarades, Muller avait gagné directement sa datcha, quelque part sur la côte poméranienne. Des voisins l'ont vu marcher à grands pas solitaires sur la grève. Dans la nuit de dimanche à lundi, il s'est tiré une balle dans la tête. Il n'a pas laissé le moindre mot d'explication.

Étrangement, Werner était sans doute le dernier avec qui il avait parlé pour de bon. Le matin de son départ, en effet, ils avaient partagé leur petit-déjeuner. Leur première vraie rencontre ! Hans Muller avait d'abord plaidé coupable : lui et ses camarades n'avaient pas été capables de prendre la mesure du malaise et de la désaffection du peuple. Les manifestations monstres de Leipzig à partir du début d'octobre, avec comme unique slogan « *Le peuple, c'est nous !* », en avaient été un révélateur cruel. Honte à nous, avait lancé Muller, avant de se lancer dans une violente diatribe contre les dirigeants du Parti. Du jour au lendemain, ils avaient abdiqué toute volonté de se battre pour la défense des acquis, pourtant incontestables, du régime. Alors qu'on aurait pu sauvegarder l'essentiel de ce qui avait été construit à condition de montrer du courage et de la détermination ! À cause de leur inqualifiable lâcheté, il allait falloir passer par profits et pertes quarante ans, d'erreurs, certes, parfois, mais aussi et surtout, d'efforts surhumains pour enfanter un monde différent ! Lui, de toute façon, il était en fin de course ! Ça ne l'avait pas empêché ces dernières semaines d'avoir envie de hurler. Particulièrement quand il assistait aux réunions de ce qu'il appelait « *notre Conférence de merde* », car, à ses yeux, toutes ces histoires d'Helsinki n'avaient pas peu contribué au gâchis actuel par la rhétorique pernicieuse qu'elles distillaient à tout vent.

Werner n'avait pas cherché à ouvrir la discussion : Hans, comme il le nommait maintenant, avait juste besoin de vider son sac. « *Persiste et signe* », c'était sa position de fond. Plus tard, qui sait, le dialogue deviendrait peut-être possible. Avant de le quitter pour gagner Heathrow, les yeux vides, Hans y était allé de trois phrases à propos de son père torturé et exécuté par la Gestapo. Dans un grognement, il avait conclu : « *C'est mieux qu'il n'ait pas vu ça !* »

Pour que Werner mentionne cette affaire de famille devant moi, il faut vraiment qu'il se sente une responsabilité d'exécuteur testamentaire.

Quand nous avons parlé de la mort de Muller, Garrisson, qui a travaillé plusieurs années au siège londonien des « *services* » britanniques, m'a appris incidemment que, dans les plans secrets du Pacte de Varsovie, les forces armées de la RDA avaient comme mission d'occuper Paris. « *Ça vous aurait rappelé de bons souvenirs, non ?* » Il a eu l'air très étonné que je ne le sache pas.

Appel de Setsuko : elle va aller passer quinze jours dans sa famille à Osaka. En principe, son ami l'accompagnera. Si elle trouve là-bas « *des livres pour mon livre* », elle me les rapportera, bien sûr. « *Travaille, hein ! Dès mon retour, je compte me mettre en piste pour te trouver un éditeur.* » Bonne année bonne année. À son bisou, comme elle s'obstine à dire, j'ai répondu par un bon vieux baiser à l'ancienne.

Les cheveux en bataille, le costume comme sorti d'une machine à laver, Kratowski paraissait préoccupé :

— Mgr Macchioli n'a pas dit sa messe ce matin, avant son départ, à l'intention de l'ambassadeur Muller comme nous étions quelques-uns à l'avoir souhaité. Né dans la montagne bavaroise, le défunt avait certainement été baptisé. Mais en tant que communiste pratiquant, il avait été *ipso facto* excommunié par l'encyclique *Divinis Redemptoris*. Tout va si vite en ce moment que nous l'avions oublié, c'est un comble ! Cette réalité douloureuse n'a pas empêché l'observateur du Saint-Siège, ainsi que quelques-uns d'entre nous, de prier pour que Dieu fasse miséricorde au pécheur.

Pendant que Kratowski racontait ses bondieuseries, j'essayais d'imaginer le contenu de la fiche qu'avait dû rédiger Macchioli sur moi. Avait-il mentionné Zorica dessus ? Et sur sa fiche à elle, qu'y avait-il que je ne savais pas ?

Soudain m'est venue une question absurde : pour

survivre le plus longtemps possible à l'abri des crocs du temps dans les archives des hommes, valait-il mieux avoir son dossier dans les armoires de la Secrétairerie d'État, au fond des tiroirs du KGB, ou bien dans les ordinateurs de la CIA ? L'homme de nos « *services* » aurait pu peut-être me fournir la réponse.

Le suicide de Hans Muller a considérablement affecté Zorica. Avec son passé héroïque et sa violence de Grand Inquisiteur, il faisait partie des rares personnages qui l'impressionnaient. J'imagine qu'à Berlin, il y eut entre eux un peu plus que ce qu'elle a bien voulu me raconter. Et que ce que j'ai envie qu'elle me raconte.

Je l'ai retrouvée prostrée dans sa chambre. Non sans mal, je l'ai décidée à venir prendre un verre dans un endroit calme. Nous avons parlé de tout et de rien. Ou plutôt « *de nous et de rien* », pour reprendre l'expression qu'elle a inventée à notre usage. Abruptement, elle a éclaté en sanglots.

— Je me sens un peu seule en cette période où tout bascule, a-t-elle fini par murmurer entre ses larmes. Salement seule même !

Je lui ai fait remarquer que tout n'était pas tout à fait noir dans ce qui se passait en elle puisqu'elle avait réappris à pleurer. Elle a ébauché un petit sourire triste, avant de lancer :

— Il y a un point au moins sur lequel je ne me fais pas de souci : la démographie de la RDA. Connaissant de l'intérieur l'*avant-garde du prolétariat* de ce pays, j'affirme solennellement que l'exemple du camarade Muller ne sera pas contagieux !

Cette façon qu'elle a de changer subitement de registre me comble. J'adore les regards impérieux que lancent alors ses yeux très verts. Ils rappellent étrangement la manière qu'elle a de foudroyer soudain du regard pendant l'amour pour sommer son amant de prendre son plaisir avec elle.

C'est ce soir-là qu'elle m'a raconté que son père, torturé par les supplétifs oustachis, s'était jeté par une fenêtre pour ne pas dénoncer ses camarades. « *Ce n'est pas une raison suffisante pour faire voler la Yougoslavie en éclats* », a-t-elle conclu dans un demi-sourire.

Jeudi 21 décembre 1989

Prévue de longue date, la visite d'État de Mitterrand en RDA a donc lieu. Difficile de l'annuler, bien sûr. L'État est-allemand existe et il est reconnu par tous. Son nouveau gouvernement, de surcroît, a promis d'organiser des élections libres en mai prochain. Que demande le peuple ? C'est ce que je répète avec l'énergie qu'un gouvernement peut attendre de l'un de ses représentants à l'étranger. Je ne sais pas pourquoi les collègues et les journalistes paraissent m'écouter d'une oreille distraite...

— Cette visite n'est-elle pas... comment dire... un peu *anachronique* ? m'a demandé le correspondant du *Guardian*.

J'ai dû m'en tirer par une pirouette sur les étranges caprices de Chronos en cette fin d'année 1989. Heureusement pour moi, l'actualité en Roumanie a très vite rendu dérisoire cette mince controverse.

En fin de matinée, en effet, notre salle de conférences s'est vidée en un clin d'œil sous le regard effaré du pauvre Ted Garrisson qui présidait. Dans le climat de surexcitation actuel, la moindre rumeur absurde peut avoir ce genre d'effets. En l'espèce, il y avait une bonne raison. Dans le bar, les écrans repassaient en boucle la scène qui venait de se dérouler à Bucarest devant le Palais du *Conducator* : l'immense rassemblement sous les bannières du Parti, l'arrivée sur le balcon du « *phare de la pensée des Carpates* » prêt à accueillir les cris d'amour de son peuple, soudain les centaines de milliers de gosiers se mettant à vomir des insultes contre le pontife. Et abasourdi, celui-ci de bredouiller des mots sans suite avant de se décider à regagner ses appartements. Ubu mis à nu en direct.

Milescu, lui, n'avait pas quitté son banc. Dans l'hémicycle pratiquement vide, l'énorme masse de sa chair attendait sans extérioriser la moindre émotion que ses collègues veuillent bien revenir aux choses sérieuses et regagner leurs bancs.

En clôturant notre séance de l'après-midi, d'une voix pincée Sir Alec a rendu un bref hommage à « *notre collègue Hans Muller, dont nous avons pu apprécier l'engagement et le professionnalisme* ». Moins que le service minimal. Pris de remords peut-être, il a laissé la minute de silence qui suivait durer vingt secondes de plus.

— Pas très fair-play, ce service mortuaire expédié comme un lavement, a commenté Schuster. Ce Sir Alec décidément n'est pas quelqu'un de recommandable ! En plus, c'est un médiocre : je n'ai aucune confiance dans ses talents pour nous aider à convaincre toutes les délégations de se rallier à *notre* texte. Tant pis ! Comme vous dites en France : continuons le combat !

Il a fait semblant de me quitter, s'est ravisé :

— J'ai appris que peut-être vous alliez être nommé dans le sud-est de notre continent. Mes vives félicitations. J'en suis d'autant plus heureux que ça nous donnera l'occasion de continuer à nous voir.

Comment des gens comme Pierrelatte, Macchioli et autres Schuster s'arrangent pour avoir des antennes partout ? Je mourrai sans avoir compris.

Margaret Thatcher a reçu les chefs des délégations occidentales. Elle voulait savoir si nous partagions l'analyse résolument optimiste du Foreign Office quant aux résultats de la Conférence. Elle en a profité pour réclamer notre indulgence face à la prolongation de la rencontre. La voix vibrante d'émotion, elle a conclu :

— La *Déclaration de Londres* constituera un symbole d'une exceptionnelle importance pour l'ensemble des citoyens de la Grande Europe ! J'ai toujours su qu'un jour les Soviets s'écrouleraient. Comme un château de cartes ! Mais jamais je n'aurais imaginé qu'une étape historique de ce processus se déroulerait à seulement quelques centaines de yards de mon bureau !

La Dame est déjà tellement plongée dans l'apothéose à venir qu'à notre satisfaction à tous, elle n'a pas gratifié Max Zürcher du sourire métallique auquel il a droit d'habitude.

En sortant de Downing Street, Werner m'a expliqué qu'il avait parlé avec l'adjoint de Hans Muller, qui assurerait l'intérim jusqu'à la fin de la Conférence. Il l'avait énergiquement invité à se rallier à la *Déclaration* de la Conférence. Le compte à rebours avait commencé pour la réunification, et les fonctionnaires de la RDA avaient le plus grand intérêt désormais à se conduire de manière correcte.

— *Kein Problem* ! a-t-il résumé. Ne restent plus maintenant que les Roumains ! Hélas, il n'est peut-être pas né, celui qui saura tordre le nez à ce salaud de Milescu. La rue, c'est notre dernière chance. Et dans les prochaines heures !

À Downing Street, Minerva remplaçait son ambassadeur. Comme si de rien n'était, celui-ci, en effet, a quitté Londres à la date initialement prévue pour la fin de la

Conférence. « *Zermatt, c'est sacré* », m'a-t-il seulement confié en prenant congé. Par égard pour Maggie, sa collaboratrice avait mis une tenue plus boutonnée qu'à l'ordinaire, mais dans le superbe tailleur en organdi qu'elle s'était choisi, le ballant de ses formes généreuses prenait un tour incroyablement provocant. Plusieurs fois, j'ai surpris le regard de chien battu de ce pauvre Pat traîner dans sa direction. Au cou, il portait toujours sa cravate de deuil.

— Il l'a bien cherché, m'a-t-elle murmuré au moment où, alignés comme à la sortie d'une cérémonie funèbre, nous nous apprêtions à prendre congé de l'hôtesse.

Je ne saurai jamais pourquoi ils m'ont pris tous les deux comme témoin de leurs amours contrariées. Sans doute parce qu'il faut à la vie des témoins pour exister.

Téléphone de Rancourt. Je ne peux m'empêcher depuis quelque temps d'écouter sa voix tel un médecin qui ausculte un patient.

— La BBC nous casse les oreilles avec votre Conférence à la noix. « *Une étape capitale dans la dernière ligne droite avant la fin de la guerre froide* », répètent-ils. À croire qu'ils ont reçu des consignes de la Dame. J'imagine qu'elle a fait installer des barbelés tout autour de votre Centre de conférences pour vous empêcher de vous enfuir. Je vous avais pourtant dit de larguer les amarres au plus vite. Mais vous ne m'écoutez plus, Tromelin. Vous vous croyez assez grand pour nager de vos propres nageoires... Bon ! Trêve de bavardages ! Je voulais vous dire que je pars demain rejoindre ma forêt de sapins de Noël au fond de mes Vosges natales. La *ligne bleue* que nos pères ont si fort aimée. Rappelez-vous que vous y êtes toujours le bienvenu ! Même accompagné par l'une de ces jeunes personnes exotiques que vous affectionnez.

J'ai pris le temps de faire venir Coriolis dans mon bureau pour le remercier de la pièce qu'il nous a offerte avec ses camarades. Il y a en lui un tel cabotin que, tandis que je lui adressais les compliments d'usage sur sa prestation, de la tête il ébauchait de petits saluts comme s'il avait été sur scène.

— Malheureusement, a-t-il soupiré, nous n'avons pas eu le temps de donner assez de place à la Conférence à laquelle nous nous trouvons participer. Une matière si incroyablement riche pourtant ! Vous imaginez, pour un auteur, avoir sous la main de tels personnages ! Depuis l'authentique boucher soviétique jusqu'au monsignore de commedia dell'arte en passant par la Minerve callipyge et l'aristocrate belge décavé, paix à ses nobles cendres ! Avec en prime deux bouffons, Heikki l'ange blanc, Milescu le chevalier noir. Et même des représentants de nos frères inférieurs, Marx, le capitaliste yankee reconverti en saint-bernard, Sir Alec, le caniche de Sa Majesté le Premier ministre.

Je l'ai vivement incité à monter le spectacle auquel il rêvait. Maintenant que le Mur était tombé, ses camarades et lui pourraient facilement le jouer aux quatre coins de l'Europe. Il a paru dubitatif sur les chances de trouver l'argent et même le public :

— Je me demande, a-t-il dit l'air sombre, si, dans l'Europe qui va se mettre en place, les gens vont continuer à s'intéresser aux vrais sujets.

Comme il le désirait, je l'ai assuré du contraire avant de lui souhaiter bonne chance pour le discours qu'il devait enfin prononcer demain devant la Conférence. Un discours très attendu, lui ai-je promis.

— Vous croyez ? a-t-il jeté, tout ragaillardi.

Opération *Juste Cause* : vingt mille soldats américains déversés ce matin sur le petit Panama. Les affaires continuent.

Dernière nuit. Alors qu'elle était sous la douche, Zorica a eu droit inopinément à mes premières phrases de serbo-croate. Je ne lui avais pas dit que j'avais acheté des cassettes, que j'écoutais l'air de rien pendant les séances en lieu et place de la traduction simultanée. Bref, je voulais l'épater, et ça a marché. Comme toujours, elle a fait mieux : quand nous avons fait l'amour, à son corps défendant, je suis prêt à en mettre ma tête à couper, elle a hurlé en français.

Vendredi 22 décembre 1989, 8 heures

Je reprends ce *Journal* dès le matin pour conjurer la panique absurde qui m'a envahi.

En professionnelle, Zorica fait sa valise. Air grave et pliures irrécusables. Son avion ne part qu'en fin de soirée, mais elle doit passer une grande partie de la journée au Foreign Office. Elle y rencontrera ceux qui seront ses correspondants quand elle aura pris à Belgrade son poste de Directeur des Affaires européennes.

Selon la BBC, s'affrontent à Bucarest plusieurs *Fronts pour le salut de la Patrie*... C'est bien notre chance ! Qu'ils se mettent d'accord d'urgence, nom de Dieu ! Ils n'ont pas l'air de se douter que Maggie va nous garder en otages tant que leur représentant à Londres n'aura pas reçu de nouvelles instructions. Elle y tient, à son discours triomphal, et elle le prononcera même si elle doit nous obliger à célébrer Noël sur les bords de la Tamise.

Appel de Setsuko depuis Roissy. « *Fais attention à toi ! Et travaille ! Je vais profiter de mon séjour pour te dégoter un éditeur là-bas, en attendant que je t'en trouve un à mon retour à Paris.* »

Vendredi 22 décembre 1989, 10 heures

Je suis passé voir Carlos dans le bureau de sa délégation. Nous risquons de ne plus avoir le temps de parler en tête à tête. Nous avons évoqué nos projets respectifs, pour les vacances de Noël et après. Mal à l'aise en ce qui me concerne car je ne lui ai pas encore parlé de ce vers quoi je m'oriente.

À un moment, Carlos qui, durant sa jeunesse rebelle, a joué des petits rôles dans plusieurs films, dont même l'un du grand Saura, s'est laissé aller :

— Dieu sait combien on était mécontents d'être là, toi comme moi et bien d'autres, enfermés pendant tant de semaines à ronger ensemble nos maigres os. N'empêche que les conférences internationales, au moment où ça finit, c'est comme le dernier jour du tournage d'un film. Une sensation très déplaisante. Au fil des jours, un petit univers s'est mis à exister, avec ses rites, ses crises, ses relations jamais tout à fait banales entre ceux que le hasard a réunis. Soudain tout est terminé. Jamais on ne se reverra ! De cette époque engloutie, il restera juste un film, bon ou mauvais, qu'importe à ses artisans puisque aucun d'entre eux n'ira voir ces images sans rapport avec ce qu'ils ont vécu. Nous ici, nous ne laisserons pas même derrière nous un film, juste vingt pages que personne ne lira.

Il s'est arrêté un instant :

— Et pourtant, elle mérite la lecture, notre *Déclaration* !

Nous sommes partis d'un éclat de rire pas vraiment joyeux. Nous avions fini par nous y attacher, à notre texte... Et nous avions maintenant compris que les Springer, les Pierrelatte, les imprimeurs d'Allemagne de l'Est et bien d'autres allaient faire leurs petites affaires ensemble en se foutant bien de notre *Déclaration*. Nous l'avions élaborée en profitant de l'un de ces interstices de l'Histoire où tout soudain semble devenir possible. Maintenant les choses sérieuses allaient reprendre leurs droits.

— Ce n'est pas grave, le Japon va te changer d'air ! a-t-il lancé.

Je me suis enfin décidé à lui raconter Zorica et Belgrade.

— Je suis très heureux pour toi, pour vous deux. Elle est formidable. Mais fais gaffe à toi quand même. Comme disait mon vieux franquiste de père, un expert : une balle perdue n'est jamais perdue pour tout le monde !

Vendredi 22 décembre 1989, 12 heures 30

Je me suis installé à ma place à dix heures trente tapantes, l'heure annoncée par Ted hier soir. Je ne me referai pas ! La plupart des délégations ont juste laissé une sentinelle. De loin en loin, Schuster fait des apparitions dans un état d'énervement que je ne lui ai jamais connu. La confiscation du pouvoir par la présidence anglaise le rend fou de rage.

Pour la première fois depuis la séance d'ouverture, la tribune diplomatique est garnie. Des Australiens ou des Argentins nostalgiques d'Europe, le Japonais goguenard de service, trois ou quatre Africains, les inévitables Cubains. Bien entendu, notre camarade chinois est fidèle au poste. Il a chaussé ses lunettes du dimanche, monture d'acier et verres bridés. Pour l'occasion, on l'a flanqué de deux collègues. Tous les trois sont armés du petit carnet à couverture rouge qu'on distribue au personnel des ambassades chinoises, et ils se passent fébrilement les jumelles. Dès demain, Pékin va avoir droit au flot d'informations attendu. Sur ces bases, les Bourrelier locaux produiront les notes de synthèse qu'attendent leurs chefs pour se rassurer. Et pour prévenir un naufrage du genre de celui qui est en train de se produire dans les pays frères d'Europe.

C'est la première fois que j'apporte avec moi le cahier où j'écris ce *Journal*. Histoire de conjurer l'horreur prévisible de la journée qui s'annonce. Aujourd'hui, donc, je vais le tenir en direct ! Seul mot d'ordre : tuer le temps. Lui tordre le cou au sens propre. Jusqu'à ce que cette folie s'achève !

Là-bas l'Ubu des Carpates, ici cette hystérique de Thatcher, partout ces histoires Est-Ouest qui n'en finissent pas. Et l'avion de Zorica qui part dans quelques heures.

Les Roumains s'agitent sur leurs sièges. Régulièrement, Dimitriu, le secrétaire de leur délégation, dépose des messages sur le bureau de Milescu. L'air sombre, celui-ci les parcourt, puis les roule en boules de papier qu'il torture longtemps avant de s'en bâtir comme un rempart devant lui. Parfois, la présidence lui envoie un émissaire qu'incontinent, il renvoie comme un chien.

Une seule certitude : la situation ne s'éclaircit pas à Bucarest. Les dépêches d'agence, que chacun des délégués attend avec au moins autant d'impatience que les Roumains, restent d'une extrême confusion. Des combats sporadiques ont lieu dans la capitale et plusieurs villes de province. On parle de milliers de victimes. La *Securitate* et certains éléments de l'armée paraissent décidés à reprendre la situation en main. Quant au couple Ceausescu, il se confirme qu'il a bien quitté hier en hélicoptère l'immeuble du Comité central. Une partie des commentateurs affirment que c'est pour mieux revenir dans la capitale dès que la révolte aura été mâtée.

La salle reste toujours aux trois quarts vide. Pour ce qui les concerne, les représentants des organisations non gouvernementales vivent le plus beau jour de leur vie avec le temps de parole qui leur a été inopinément octroyé par la présidence soucieuse de meubler la séance. Épanouis, ils se succèdent à la tribune pour débiter leurs boniments.

Bref aparté avec Werner, assis à l'écart, l'air sombre. J'ai laissé tomber la remarque banale que pour lui l'année se terminait en apothéose.

— Pour l'Allemagne sûrement, a-t-il rétorqué. Pour moi, c'est un peu plus compliqué. Sans m'en parler, mes idiotes de sœurs ont décidé que je serais à Leipzig le 31 décembre. *Réunification familiale* ! Tante Bertha, la plus jeune de mes tantes, a quatre-vingt-onze ans ! Tu imagines ! J'avais, moi, de tout autres projets personnels. Au soleil, tu vois ce que je veux dire. Je ne sais comment sortir de ce pataquès.

J'ai compati comme il fallait et il a replongé dans ses pensées moroses.

À son banc, Vachilev dort du sommeil du juste comme si toutes ces salades ne le concernaient plus. De ses années à fréquenter le grand monde, il a gardé un certain vernis : bien droit sur sa chaise, il respire sans vacarme, et ses paupières sont si adroitement closes qu'on peut l'imaginer souffrant d'une légère inflammation des yeux. D'une conversation récente avec lui, j'ai compris qu'il ne songeait plus maintenant qu'à retrouver le chemin des chais de son village natal.

— D'autant qu'en fin de banquet dans le Bordelais ou chez les Tastevins, j'ai extirpé de vos vignerons quelques tours de main qui seront les bienvenus chez nous, m'avait-il expliqué le regard brillant. L'espionnage bulgare...

Et il avait conclu de façon assez inattendue :

— C'est génial : mon enfance est devant moi !

Sir Alec a reçu l'ordre de prolonger les travaux jusqu'à la veille de Noël s'il le fallait. Margaret Thatcher croit toujours en une issue positive qui lui permettra de prononcer le discours de clôture triomphal qu'elle polit depuis des jours. Un discours très important pour elle car son bilan intérieur 1989 est assez préoccupant pour que beaucoup de ses excellents amis dans le Parti cherchent à lui faire la peau. Pour qu'elle ait renoncé à un déplacement prévu de longue date au Canada, il faut qu'elle attache une sacrée importance à notre réunion ! S'il apparaît que notre *Déclaration* peut obtenir le consensus, elle se précipitera au Centre de conférences.

Profitant de l'accalmie, Ted Garrisson m'a expliqué dans le détail toute cette cuisine interne. Compte tenu de l'état exécrable de ses rapports avec Sir Alec, il a fait une croix sur sa nomination à Moscou, et il se sent délié à mon égard de son devoir de réserve.

— Heureusement, a-t-il ajouté, amical, tu vas à Tokyo, et Carlos paraît assuré maintenant de se retrouver à Pékin. Globalement, les nouvelles du front sont donc plutôt bonnes !

J'ai préféré ne pas lui parler de mes projets.

Comme quelques autres, j'ai constaté l'absence de Harry Marx. Quand je l'ai interrogé, son numéro 2 a ébauché un sourire un peu crispé. D'après ce que la clinique lui avait déclaré en début de matinée, il était hors de question qu'il se trouve parmi nous aujourd'hui.

Vendredi 22 décembre 1989, 15 heures 50

Un hasard malencontreux a fait que c'était Coriolis qui venait de prendre la parole au nom d'*Acteurs sans frontières* lorsque le petit Dimitriu a surgi dans la salle. Ce dernier était si excité qu'on a clairement entendu ce qu'il claironnait à l'oreille de son chef : Ceausescu vivant, Bucarest en ligne, très important ! Milescu s'est levé, pâle comme la mort, et son quintal de chair malsaine s'est dirigé en dandinant vers la sortie.

C'était mal connaître Coriolis que de penser que cette agitation l'empêcherait de prononcer jusqu'au bout le discours qu'il avait préparé avec tant d'amour. D'autant qu'à la nouvelle du contact téléphonique en cours de Milescu avec Bucarest, les délégués regagnaient peu à peu leurs places. Enfin on touchait au terme de cette interminable Conférence. Qu'il y ait ou non une *Déclaration* à la clé était évidemment devenu le cadet des soucis des participants. Noël était dans trois jours !

Les traits tirés, Vacek est venu me chercher à mon banc, et il m'a entraîné jusqu'aux tribunes réservées au public, que les circonstances avaient vidées. D'une voix cassée, il s'est confié :

— Je ne croyais pas si bien dire quand nous avons parlé l'autre jour. Un vieux copain vient de me téléphoner, j'en suis encore tout retourné. L'un de ces camarades avec qui jadis j'ai suivi les écoles du Parti. Il dirige un combinat agroalimentaire en Slovaquie. Il m'appelait pour me proposer de travailler avec lui. Il avait été approché par une grosse entreprise occidentale du secteur, et il avait besoin d'urgence de quelqu'un de confiance, qui parle les langues et ait l'habitude des négociations internationales. « *Dans la structure mixte qu'on va monter avec eux, pas besoin de te dire que nous nous réserverons, toi et moi, une part significative du capital !* » Il m'a dit ça sans sourciller, tu comprends. Lui, ça, à moi… Je l'ai, comment dites-vous déjà dans votre belle langue ? Ah oui : *je l'ai envoyé chier.* Mais dans quelques mois, quand les nouveaux venus m'auront viré du ministère, je me répéterai que j'ai été un imbécile.

Il a eu un sourire triste :

— C'est mon affaire, bien sûr ! Je voulais juste te confirmer que tout se passera vite maintenant, et jusqu'au bout, à Prague comme ailleurs… Hissez vos pavillons victorieux ! Bon, il est temps que j'aille dire au revoir aux quais de la Tamise. À tout à l'heure, pour la clôture !

Assis à mon banc de nouveau. À son habitude, Leroux court en tous sens, ramenant triomphalement des bribes d'informations contradictoires. D'un naturel si calme, Claudine elle-même a été gagnée par la nervosité générale, et elle en est arrivée à envoyer bouler le pauvre Kugelman venu aux nouvelles.

L'air moins tendu que d'habitude, Malevitch s'est approché :

— Nos « *services* », m'a-t-il dit à voix basse, ont l'air décidés à faire en sorte que le géant de la pensée subcarpatique débarrasse le plancher. Mais ils ne peuvent garantir que le travail sera mené à bien avant ce soir. Le KGB n'est plus ce qu'il était !

Il a esquissé un léger sourire.

— Je dois partir par le dernier avion de Moscou. Gorbatchev convoque demain matin son petit monde au Kremlin pour faire le point sur les minuscules difficultés que nous rencontrons en ce début d'hiver : les magasins vides, les révoltes dans les Républiques, les complots dans chacun des couloirs du Parti et des ministères. Rien n'est encore perdu, bien sûr. Une chose est sûre en tout cas : on ne reviendra pas au point de départ ! Bon, j'espère que nous nous reverrons, à Paris ou chez moi. En attendant, que Dieu nous garde, toi, moi et les autres ! Une formule que je n'utilise pas pour faire plaisir au Bon Dieu dont je me contrefous. Juste pour faire un clin d'œil à ce pauvre Sakharov. J'aime bien cette phrase de lui : « *Pour donner leur chance aux libertés retrouvées, nous devons en profiter à chaque seconde.* »

Il m'a donné l'accolade, et a rejoint sa délégation d'apparatchiks prêts à lui faire la peau.

Milescu ne se décide toujours pas à revenir. Dans le brouhaha général, les représentants d'organisations de plus en plus groupusculaires se succèdent à la tribune pour présenter leurs martingales respectives visant à en finir avec la coupure de l'Europe en deux.

À la présidence, le très flegmatique Garrisson a du mal à cacher son angoisse. Il a le sentiment de ne plus du tout maîtriser la situation. Il repense sûrement aussi à sa nomination ratée à Moscou. Le rêve de toute une vie... Pour ne pas arranger les choses, Sir Alec, qui doit être en contact téléphonique permanent avec Maggie, se croit obligé de faire de rapides apparitions dans la salle. Il tourne un instant, lui glisse trois phrases à l'oreille et prend le large. Marcus Schuster fait de même. Un Schuster à qui les circonstances ont fait perdre son éternel sourire. J'imagine qu'il se fait un malin plaisir à répéter à Garrisson que la Conférence court à la catastrophe.

Tout à coup, Zorica est là. Le plus discrètement possible, elle se dirige vers sa place. Elle ne devine pas que rien encore ne s'est passé. Son adjoint l'en informe. Visiblement elle a du mal à s'en convaincre. Alors, enfin, elle se tourne dans ma direction. Un imperceptible sourire flotte sur ses lèvres minces. Sans se presser, elle se lève. Je n'attends pas les cinq minutes habituelles pour l'imiter.

Au bar, nous avons échangé quelques pauvres phrases sur l'improbable fin de la Conférence. Ses interlocuteurs du Foreign Office lui avaient donné des indications contradictoires sur la situation à Bucarest. La vérité, c'est que pour nous, en ce moment précis, une seule échéance a un sens : Sarajevo le 31 décembre, l'avion arrive de Munich en tout début d'après-midi. Un brouhaha s'échappant de la salle nous a fait regagner nos places.

Sur ma table, feuille de cahier d'écolier pliée en quatre : un mot d'adieu de Coriolis. Il est obligé d'être demain, « *aux aurores* » comme il ne peut s'empêcher d'écrire, à une répétition à Marseille. « *Soyez heureux !* me dit-il simplement. *Côté cour, mais aussi côté jardin.* »

Vendredi 22 décembre 1989, 16 heures 30

Milescu a quitté son bureau... Milescu est dans l'ascenseur... Milescu arrive... Soudain son ombre énorme se détache dans le contre-jour d'une des portes. S'interrompant au beau milieu de sa phrase, l'orateur du moment a le bon sens de ranger ses papiers vite fait et de déguerpir. Un silence de mort s'est fait. D'un pas lourd et désarticulé, le

Roumain gagne sa place. Il est plus blanc encore que tout à l'heure.

Tous les regards le déshabillent. Qu'il soit dans un état de désespoir absolu, c'est clair. Mais est-ce d'avoir à dire une fois de plus *Non* à toutes les autres délégations ? Ou bien au contraire sa terreur vient-elle d'avoir à articuler enfin le mot *Oui*, au nom d'un nouveau régime qui le révoquera dans les prochaines heures ?

Non sans mal, il se faufile entre ses collaborateurs, trouve son fauteuil, s'y laisse tomber. Un moment interminable, il reste immobile derrière le dérisoire rempart de boules de papier qu'il a édifié ce matin. Il n'est pas besoin que la présidence lui donne la parole tant elle lui appartient avec la plus grande évidence. Soudain sa grosse tête s'approche du micro. Dans un titanesque effort, la bouche s'arrondit :

— *Da* !

Milescu a perdu à ce point le contrôle sur lui-même que, pour la première fois depuis l'ouverture de la Conférence, il a fait usage de sa propre langue. Et plus précisément de ce *Da* qui est une si intolérable épine au cœur de tout Roumain bien né.

Ce *Da* siffle-t-il la *fin de la guerre froide* annoncée par Gorbatchev à Malte ? Ce serait logique après tout puisque les quatre décennies d'affrontement Est-Ouest ont été placées sous le signe du *Niet*. Il reviendra à Maggie dans un instant de nous fournir une réponse autorisée.

Notre beau paquebot blanc a donc terminé sa course. Enfin nous allons pouvoir descendre à terre. Sans savoir trop où nous avons accosté.

Minute par minute, j'imagine, la Dame de fer a suivi l'ultime étape de notre croisière. Sur-le-champ, elle a été prévenue de l'heureuse issue des événements. Tapie à

Downing Street, elle doit être en train de savourer par avance le discours de clôture qu'elle va nous infliger. À nous, parce que nous nous trouvons là, mais surtout, bien sûr, aux médias. Et à la seule personne qui l'intéresse vraiment : l'Histoire. L'Histoire qui, en cette fin d'après-midi, a choisi de s'arrêter ici sur les rives de la Tamise.

Vendredi 22 décembre 1989, 17 heures 40

Guidée par l'ineffable Sir Alec, Margaret daigne enfin faire son entrée. D'un seul bond, la salle se lève. Le Premier ministre prend tout son temps pour gagner la table de la présidence. Avant de s'installer, elle serre longuement la main de Schuster, qui a trouvé le moyen d'être à l'endroit et au moment qu'il fallait. D'un geste magnanime, elle nous invite à nous rasseoir. En quelques phrases pompeuses, Sir Alec lui fait le point sur nos travaux et l'informe de leur magnifique conclusion. Elle hoche la tête de temps à autre pour marquer sa satisfaction.

— Madame le Premier ministre, conclut-il, le moment est venu, si vous le voulez bien, de prononcer la clôture de notre Conférence. Une conférence, j'ose le dire, qui fera date dans l'Histoire de la CSCE, mais aussi dans celle de l'Europe !

De cette démarche somnambulique qui est la sienne en ce genre de circonstances, la Dame de fer se dirige vers la tribune. Un moment, elle laisse monter le fumet de nos applaudissements avant de se décider à entamer son discours.

Nous avons droit en préambule à un éloge appuyé du *travail his-to-rique* que nous avons accompli au cours de ces deux mois et demi. Ces compliments semblent lui arracher les entrailles, mais, en vaillant petit soldat, elle les prononce sans barguigner, sur le ton emphatique de circonstance. Ce tribut payé à nos mérites, elle embraye sur une vibrante apologie de l'événement qui vient de se produire : l'adoption par consensus d'une *Déclaration* solennelle qui organise la liberté de l'information entre deux groupes de pays que tout a opposé pendant quarante ans.

Elle a su trouver les envolées lyriques qui s'imposaient pour évoquer l'ère nouvelle qui s'ouvre. Avec satisfaction, je constate qu'emportés par leur patriotisme, le même sourire épanoui aux lèvres, Sir Alec et Ted Garrisson se tiennent cette fois-ci au coude à coude. Moscou n'est peut-être pas foutu pour Ted.

— Eh oui, Mesdames et Messieurs les délégués, nous l'aurons vécu, vous et moi, ce moment prodigieux : il est tombé, ce que mon illustre prédécesseur, Sir Winston Churchill, l'indomptable adversaire du totalitarisme nazi, avait si justement nommé le *Rideau de fer* !

« *Tombé* », elle répète ce mot, et elle ne peut s'empêcher d'enchaîner sur cette expression qu'elle affectionne : « *Tombé comme un château de cartes !* » Elle se souvient alors qu'elle l'a utilisée lorsqu'elle nous a reçus hier en petit comité. Tel un comédien pris soudain par le doute, elle s'arrête net, son visage se rembrunit. Puis elle reprend, un ton plus haut :

— La dernière Conférence de la guerre froide s'est transformée en la première rencontre de l'Europe retrouvée.

Déjà nous l'imaginions repartie dans une interminable tirade sur ce thème. Mais elle décide soudain qu'elle en a assez fait pour avoir la *Une* des journaux de demain, et elle bifurque vers la péroraison que nous attendions tous tels les catholiques leur *Ite missa est.*

— Ce 23 décembre, à l'ombre du plus vieux Parlement du monde, la Liberté est revenue éclairer notre continent. *Long live Freedom* !

Prenant modèle sur la délégation britannique, nous nous sommes levés comme un seul homme. *Long live Freedom* ! avons-nous répété par trois fois. Comme tout le monde, je remarque que, rouge d'excitation, le gros Milescu hurle plus fort encore que les autres. Rancourt avait raison : de tous les hommes, l'ethnographe est le seul que les Dieux n'abandonnent jamais.

Londres, samedi 23 décembre 1989, 0 heure 30

Zorica s'est envolée. Pas de panique. Le 31 à Sarajevo. L'avion de Munich se pose en tout début d'après-midi... En attendant, j'irai traîner sur la ligne bleue des Vosges, dans la forêt d'arbres de Noël où Rancourt monte la garde.

Paris, samedi 23 décembre 1989, 23 heures

Au petit matin, dans la salle à manger du *Carlton* où nous avons pris tant de petits-déjeuners – tête à tête, côte à côte, face à face, dos à dos et j'en oublie ! –, nous nous sommes dit *au revoir*.

Non sans quelque présomption ! Si l'on procède à une froide analyse de la situation, il n'y a qu'avec ce vieux Chinois de Carlos que je garderai à coup sûr des liens. Il se peut que je croise à l'occasion Werner et Ted. Mes deux nouveaux copains Marx et Heikki, eux, ne sont pas programmés pour faire de vieux os dans cette vallée de larmes. Quant aux autres, sauf très improbable hasard, ils vont disparaître à jamais de mon horizon. À l'exception d'Eva Bengtson, bien sûr, Belgrade oblige. Un vrai gâchis, car tout compte fait, sur cette mer déchaînée, nous n'avons pas formé un si mauvais équipage.

Son éternel sourire enfin revenu, Schuster a pris la peine de venir nous saluer. La CSCE, nous a-t-il expliqué, devra s'habituer à vivre différemment. « *Moins dans la tension, plus dans l'invention* », la formule lui paraissait assez parlante pour qu'il la sorte et la ressorte dans les diverses langues de travail de la Conférence.

— Je ne me fais pas de souci, répétait-il. L'organisation trouvera tout naturellement ses marques dans le nouvel environnement européen.

Nous avions d'autant moins de raisons de le contredire que, pour la plupart, nous n'aurions jamais plus l'occasion d'être mêlés à toutes ces histoires.

Tous, je crois, nous avons apprécié la délicatesse de Sir Alec qui a préféré ne pas venir nous dire adieu. Son absence n'a pas peu contribué à la chaleur des ultimes moments que nous avons passés ensemble.

À un moment, Werner m'a tiré par la manche. Sous le sceau du secret, il m'a confié que c'étaient les services britanniques qui avaient organisé le contact téléphonique de Milescu avec les représentants d'un imaginaire *Front de libération nationale*. En des termes comminatoires, le représentant roumain avait reçu instruction de se rallier sur-le-champ à la *Déclaration*, ou bien il lui en cuirait. Dans le désordre ambiant, tout cela était parfaitement plausible. Si d'aventure Ceausescu réapparaissait [1], il aurait d'autres chats à fouetter que de revenir sur cet engagement dérisoire.

En retard comme toujours, sa cravate bleu marial ficelée à la mords-moi-le-nœud, Kratowski a fait son apparition.

[1] Il fut fusillé deux jours plus tard au terme d'un faux procès monté par un vrai Front national. (*Note de l'Éditeur*)

Parfaitement à l'aise maintenant dans notre petit monde, il a entrepris de donner l'accolade à chacun. Sans penser à mal, il m'a confié qu'il avait parlé hier soir au téléphone avec Mgr Macchioli. Comme il l'espérait, la Secrétairerie d'État s'apprêtait à lui confier la nonciature en Yougoslavie.

— Ça ne va pas faire plaisir à notre commune amie Zorica qui ne peut pas le voir en peinture, a-t-il cru malin d'ironiser. C'est la plus exquise des femmes, mais il faut dire que, par certains côtés, elle est restée terriblement communiste.

Je n'ai même pas eu envie de lui asséner sur la tête qu'on avait bouffé du curé avant Marx, et qu'il faudrait continuer longtemps après sa disparition dans ces « *champs d'épandage de l'Histoire* » où il aime expédier son prochain. Me parler ce matin de Zorica ! Je lui ai tourné le dos sans le gratifier du sourire de rigueur en ces circonstances.

Très chic dans son pull de cachemire rouge usé juste ce qu'il faut, Ted Garrisson allait de l'un à l'autre, trouvant un mot à glisser à chacun. Il nous a confirmé que Maggie nageait dans le bonheur après l'heureuse issue de notre aventure. Malgré son mépris affiché pour les menuets de la diplomatie, elle avait toujours préféré la grande politique aux minables péripéties politiciennes.

En rougissant, Ted a fini par nous confier qu'elle venait de lui faire savoir, par Sir Alec interposé, qu'en reconnaissance de ses bons et loyaux services durant la Conférence, elle s'apprêtait à signer son brevet de nomination à Moscou. Le temps de le congratuler, et nous avons découvert que l'heure tournait dangereusement.

— Bon Noël, nous sommes-nous crié d'une seule voix avant de nous engouffrer dans les voitures qui piaffaient devant l'hôtel.

POSTFACE

Jean-Pierre Tromelin a été tué par une balle qu'un peu vite peut-être, on a qualifiée de perdue. Il venait de franchir un barrage militaire sur la route qui va de Karlovac à Ljubljana. On était le 27 juin 1991, et, bien sûr, ce n'était pas une bonne idée de se trouver dans ce coin quelques heures après la déclaration d'indépendance de la Slovénie. Il conduisait une voiture de location, mais ses papiers ne cachaient pas qu'il était l'ambassadeur de France en Yougoslavie. De là, pour des militaires énervés, à imaginer on ne sait quelle manigance... Une bavure malencontreuse, conclut la commission d'enquête. Sur le fond, elle avait sans doute raison.

Tromelin avait débarqué à Belgrade en août 1990. Il présenta ses lettres de créance au Président de la Fédération le 22 septembre. Directrice d'Europe aux Affaires extérieures, Zorica Belavic assistait à la cérémonie. Un beau matin, elle s'envola pour Ljubljana, sa ville natale. Chaque jour, la Yougoslavie se délitait un peu plus, et ses compatriotes l'avaient chargée de préparer dans le plus grand secret la création d'un ministère slovène des Affaires étrangères en prévision d'une indépendance désormais inéluctable.

Plusieurs fois, Tromelin et elle s'arrangèrent pour se retrouver dans des endroits discrets. Tous les observateurs annonçaient la déclaration d'indépendance pour la mi-juillet. Le Français voulut sans doute profiter d'un des derniers week-ends tranquilles pour apercevoir celle qu'il aimait avant qu'une frontière, et une guerre peut-être, les séparent pour de bon. Et ce fut le drame.

Tout au long de la Conférence de Londres, mû par on ne sait quel pressentiment, Tromelin avait tenu son Journal. *Il en écrivit la première ligne le 30 septembre 1989 alors qu'on était encore en pleine guerre froide. À la clôture, dix semaines plus tard, un Mur et un Rideau de fer s'étaient écroulés. À l'exception de Gorbatchev, tous les dirigeants de ce qu'on appelait le* camp socialiste *avaient disparu, et dans la foulée, toutes les* démocraties populaires.

Tel un sismographe, le témoignage de Tromelin permet de suivre jour après jour le tracé du tremblement de terre qui ébranla alors la planète. La publication de son journal contribuera, on l'espère, à préserver le souvenir de ce tournant de l'Histoire. Car tout ce qui rappelle aux hommes que les carottes ne sont jamais cuites mérite de rester vivant sous leurs crânes durs.

L'Éditeur

Cet ouvrage a été imprimé en France par

à Saint-Amand-Montrond (Cher)
en octobre 2008

N° d'édition : 610. — N° d'impression : 083430/4
Dépôt légal : juillet 2008.